使いやすい！教えやすい！家庭学習に最適の問題集！

ルダム清心 女子大学附属小学校
就実小学校

2022～2023年度過去問題を掲載

2024 年度版

過去問題集

合格までのステップ

出題傾向の把握

基礎的な学習

過去問にチャレンジ！

苦手分野の克服

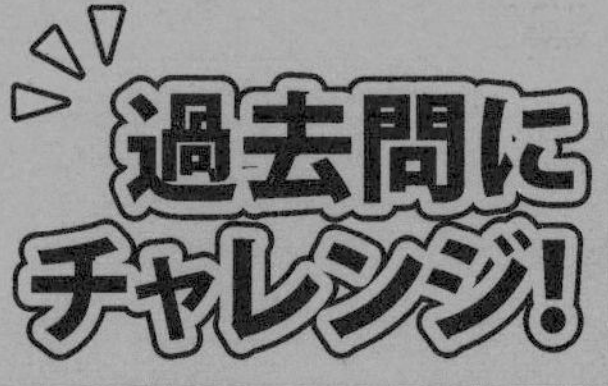

プリント式!!

すべての問題にアドバイス付き！

●資料提供●

地球ランド NEXT

日本学習図書 ニチガク

ISBN978-4-7761-5530-0
C6037 ¥2500E

定価 2,750 円
(本体 2,500 円＋税 10%)

目指せ！合格！ 家庭学習ガイド
ノートルダム清心女子大学附属小学校

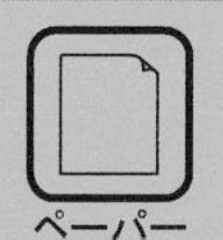

入試情報

出題形態：ペーパー、ノンペーパー
面　　接：あり（保護者面接）
出題領域：ペーパーテスト（記憶・数量・図形・常識）、運動、行動観察

受験にあたって

2023年度の入学試験では、**ペーパーテスト、運動、行動観察、保護者面接**が行われました。

ペーパーテストは、**お話の記憶、見る記憶、数量、図形、常識**の分野から出題されています。内容は2022年度と似たような問題が出題されました。

試験は、生活体験の有無により差が出る内容になっています。ペーパー学習だけでなく、体験を1つひとつ積み重ねていくことで、お子さまが生きた知識を獲得し、理解を深めていけるようにしましょう。机に向かって改まって学習するだけでなく、親子で言葉遊びをしたり、物を数える体験をさせるなど、ふだんの生活の中のありふれた遊びや作業を通して、貪欲に学ぶことを心がけてください。特に、具体的なものを使用して合成・分割などの基本を学ぶことで、形に対するひらめきが生まれるように、遊びの中でも工夫して学習を進めていくとよいでしょう。

保護者面接では、志望理由や通学方法、アレルギーの有無とその対応、オープンスクールの感想など、基本的なことが聞かれています。また、クラス国際受験者に向けて、英語の学習についても質問されました。普段から家庭でこれらの話題について話し合う機会を持ち、親子の間で意見を一致させておきましょう。いわゆるマニュアル通りの回答をするのではなく、親子の生活での具体例などを盛りこみ、ご家庭の様子を伝えられると、学校側に好印象を与えることができるでしょう。いかに上手に面接を受けることができたとしても、お子さまを通して家庭での教育や指導状況が観られています。日頃の生活の中でも教育を大切に、家庭での日々を過ごすようにしてください。

家庭学習ガイド
就実小学校

入試情報

出題形態：ペーパー、ノンペーパー
面　　接：あり（保護者面接）
出題領域：ペーパーテスト（記憶、常識、言語、数量、図形、推理）、絵画、行動観察、運動

受験にあたって

当校は「グローバル社会の担い手として、未来を作る就実の子を育む」とし、「かしこい子・やさしい子・たくましい子・誠実に生きる子の育成を目指す」として、平成27年4月に開校した学校です。当学園は、幼稚園からこども園、中学・高校、短期大学、大学・大学院まであります。そのような環境下において、小学校の進路指導はしっかり実践されており、就実中学はもとより、例年、他中学への進学者も多数輩出しています。また、保護者の方の負担軽減や安心して我が子を通学させられるようにと、給食が完備され、保護者の方を対象とした試食会も実施されています。

小学校では、「あいさつ」「あんぜん」「あとしまつ」「ありがとう」「こころゆたかに」をモットーに、「状況判断力・思考力表現力」「リーダーシップとフォロワーシップの育成」を目指しています。

これら謳っている内容をベースに適性検査を分析すると、出題内容にもこうしたことが随所に伺うことができ、重視した課題であることが分かります。

入学試験は、**ペーパーテスト**、**絵画**、**行動観察**、**運動**、**保護者面接**が行われ、広範囲から観察していることが分かります。

具体的に、**ペーパーテスト**では、**お話の記憶**、**言語**、**数量**、**図形**、**推理**、**常識**が出題されています。難易度は、一部を除いてそれほど高い内容はありませんが、幅広い分野から出題されますので、基本をしっかり身につけて取りこぼしをしないようにしましょう。

図形問題に関しては、具体物などを使用し、論理的思考力を強化すること、言語に関しては、日常会話や読み聞かせを利用し、お子さまの語彙数の増加に努めましょう。単に言葉の修得を目指すのではなく、年齢にあった言葉の習得に注意してください。同時に、人の話を最後までしっかり聞く習慣を身につけましょう。これは保護者の方に対しても同じです。

注意点として、受験時は筆記具（Bの鉛筆3本）、使い慣れたハサミ、クレヨン（12－16色）を持参しなければなりません。使用するものは、早目に用意をし、使い慣れておくようにしましょう。

ノートルダム清心女子大学附属小学校
就実小学校

過去問題集

〈はじめに〉

現在、少子化が叫ばれているにもかかわらず、私立・国立小学校の入学試験には一定の応募数があります。入試は、ただやみくもに学習するだけでは成果を得ることはできません。志望校の過去における出題傾向を研究・把握した上で、練習を進めていくこと、その上で試験までに志願者の不得意分野を克服していくことが必須条件です。そこで、本問題集は小学校を受験される方々に、志望校の出題傾向をより詳しく知って頂くために、過去に遡り出題頻度の高い問題を結集いたしました。最新のデータを含む精選された過去問題集で実力をお付けください。

〈本書ご使用方法〉

◆出題者は出題前に一度問題を通読し、出題内容などを把握した上で、〈準備〉の欄に表記してあるものを用意してから始めてください。
◆お子さまに絵の頁を渡し、出題者が問題文を読む形式で出題してください。問題を読んだ後で、絵の頁を渡す問題もありますのでご注意ください。
◆「分野」は、問題の分野を表しています。弊社の問題集の分野に対応していますので、復習の際の目安にお役立てください。
◆一部の描画や工作、常識等の問題については、解答が省略されているものがあります。お子さまの答えが成り立つか、出題者が各自でご判断ください。
◆〈時間〉につきましては、目安とお考えください。
◆解答右端の［〇年度］は、問題の出題年度です。［2023年度］は、「2022年度の秋から冬にかけて行われた2023年度入学志望者向けの考査で出題された問題」という意味です。
◆【おすすめ問題集】は各問題の基礎力養成や実力アップにご使用ください。

〈本書ご使用にあたっての注意点〉

◆文中に **この問題の絵は縦に使用してください。** と記載してある問題の絵は縦にしてお使いください。
◆〈準備〉の欄で、クレヨンと表記してある場合は12色程度のものを、画用紙と表記してある場合は白い画用紙をご用意ください。
◆文中に **この問題の絵はありません。** と記載してある問題には絵の頁がありませんので、ご注意ください。なお、問題の絵の右上にある番号が連番でなくても、中央下の頁番号が連番の場合は落丁ではありません。
下記一覧表の●がついている問題は絵がありません。

問題1	問題2	問題3	問題4	問題5	問題6	問題7	問題8	問題9	問題10
								●	●
問題11	問題12	問題13	問題14	問題15	問題16	問題17	問題18	問題19	問題20
●							●	●	●
問題21	問題22	問題23	問題24	問題25	問題26	問題27	問題28	問題29	問題30
問題31	問題32	問題33	問題34	問題35	問題36	問題37	問題38	問題39	問題40
●	●	●							
問題41	問題42	問題43	問題44	問題45	問題46	問題47	問題48	問題49	
					●	●	●	●	

〈ノートルダム清心女子大学附属小学校〉

※問題を始める前に、本書冒頭の「本書ご使用方法」「本書ご使用にあたっての注意点」をご覧ください。

保護者の方は、別紙の「家庭学習ガイド」「合格のためのアドバイス」を先にお読みください。
当校の対策および学習を進めていく上で役立つ内容です。ぜひご覧ください。

2023年度の最新問題

問題1 分野：見る記憶

〈準備〉 鉛筆

〈問題〉 （問題1－1の絵を渡し、15秒間見せる）
今からこの絵を覚えてください。
（問題1－1の絵を回収し、問題1－2の絵を渡す）
今見た絵にあったもの全てに○をつけてください。

〈時間〉 20秒

〈解答〉 下図参照

学習のポイント

見る記憶の問題を解いていると、解答の正誤も気になると思いますが、お子さまの問題を解く際の様子もチェックしましょう。見る記憶は、集中力を要する問題であり、問題に取り組む姿勢が結果に影響を及ぼします。そのため、お子さまに集中力の欠如が見られる場合、問題を解く前に、目を閉じ、深呼吸をしてから取り組むとよいでしょう。解答用紙には、記憶した絵以外のものも描かれています。それらの絵に惑わされることなく、記憶した情報を基に自信を持って解答するようにしましょう。問題としては難易度が高いわけではありませんから、落ち着いてしっかりと取り組みましょう。

【おすすめ問題集】
Ｊｒ・ウォッチャー20「見る記憶・聴く記憶」

問題２　分野：お話の記憶

〈準備〉　鉛筆

〈問題〉　お話を聞いて、質問に答えましょう。

今日は、動物村の運動会の日です。朝から、青空のよいお天気だったので、ウサギさんはうれしくなりました。隣に住んでいるイヌくんと一緒に、運動会をする広場へ行くと、「おはよう。いい天気だね。」とキツネくんが後ろから話しかけてきました。「晴れてよかったね。キツネくんは何組なの？」「ぼくは白組だよ」とキツネくんが答えると、イヌくんは「ぼくと一緒だ。」と言いました。ウサギさんは、「わたしは赤組だけど、一緒に頑張ろうね。」と言いました。早速、運動会が始まりました。最初は玉入れです。ウサギさんとサルくんは赤い玉を入れ、イヌくんとシカさんは白い玉を入れています。両方ともたくさん玉を入れましたが、どうやらウサギさんとサルくんの方が多く入れたようです。次はかけっこです。ウサギさんは、サルくん、キツネくん、イヌくんといっしょに走って１着になりました。次はみんなが参加する大玉転がしです。背の高いシカさんがうまく転がし、白組の勝ちになりました。最後は綱引きです。どちらも同じくらいの強さでなかなか決まりません。すると、サルくんが滑って転んでしまい、キツネくんとイヌくんが勝ちました。赤組も白組も２つずつ勝ったので、結果は引き分けでした。

（問題２の絵を渡す）
①お話に出てきた動物に○をつけてください。
②赤組はいくつ勝ちましたか。その数だけ○を塗ってください。
③かけっこで１着になったのは誰ですか。

〈時間〉　各20秒

〈解答〉　①ウサギ、イヌ、キツネ、サル、シカ　②○２つ　③ウサギ

学習のポイント

お話の記憶は小学校入学試験において出題率No. 1です。それだけ重要であるととることができます。お話の記憶を解くには「語彙力」「理解力」「集中力」「記憶力」「想像力」の５つの力が必要であり、入学後に授業を受けるにあたり、必要不可欠な力と言われています。故に、どの学校でもこの力が備わっているかを観るために出題しています。また、お話の記憶の力は急に伸びることはなく、積み木を一つひとつ積み上げていくように、少しずつ伸長します。また、読み聞かせの量とお話の記憶を解く力は比例すると言われていることから、毎日の読み聞かせは重要となります。そして、この聞く力は小学校入学試験全ての基礎となることから、お話の記憶の重要性がお分かりいただけると思います。お話の記憶は、大人と子どもとでは、覚え方が異なります。大人はお話の内容の中からキーワードを見つけて記憶しますが、子どもは頭の中に情景をイメージして記憶します。お話を聞いた後、その情景を思い出し、解答を導き出します。読み聞かせを多くすることで、この力を養っていきましょう。

【おすすめ問題集】
１話５分の読み聞かせお話集①・②、お話の記憶 初級編・中級編・上級編、
Ｊｒ・ウォッチャー19「お話の記憶」

問題3　分野：数量

〈準　備〉　鉛筆

〈問　題〉　①一番多いものはどれですか。選んで上の四角に○をつけてください。
②③④真ん中のものに○をつけてください。
⑤りんご15個に○をつけてください。
⑥ひよこ２羽に○をつけてください。
⑦ハト２羽に○をつけてください。
⑧６台のものはどれですか。選んで上の四角に○をつけてください。

〈時　間〉　２分

〈解　答〉　①②③④下図参照　⑤⑥⑦省略　⑧左から２番目

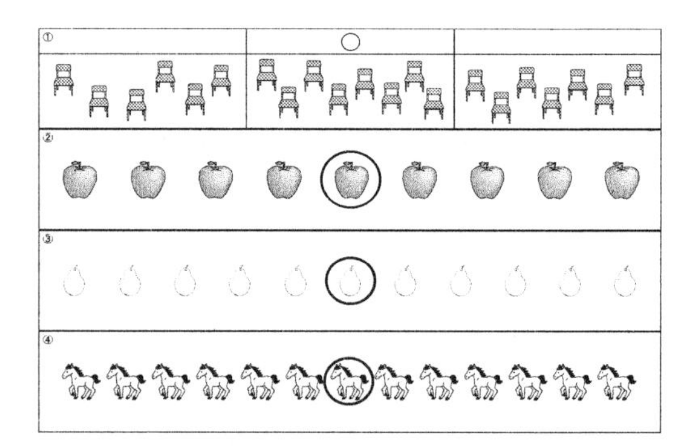

学習のポイント

数量の問題ですが、設問ごとに問われている内容が異なります。このような問題では、気持ちの切り替え、問題を解く集中力が求められます。特に前者に挙げていることは大切です。前問ができなかったからと引きずってしまうと、問題を聞きそびれてしまうなど他の問題にも影響を及ぼしてしまい、取り返しが付かないことになりかねません。一問一問、しっかりと対応するようにしましょう。それぞれの問題は、問われている内容は違いますが、どれも基本レベルの問題となっています。しっかりと理解して正答できるようにしましょう。間違えた問題は、お子さまに説明をして、どの過程で間違えたのかをしっかりと把握しましょう。その後、その部分について説明をし、簡単な問題に取り組むなどして修正することをおすすめいたします。難易度的な観点から言えば、この数量の問題は全問正解としたい内容です。

【おすすめ問題集】

Ｊｒ・ウォッチャー14「数える」、15「比較」

問題4　分野：常識

〈準備〉　鉛筆

〈問題〉　牛の足、うさぎの耳、金魚のせびれに○をつけてください。

〈時間〉　30秒

〈解答〉　下図参照

学習のポイント

この問題は当校の頻出問題の一つです。どの生き物が指定され、その生き物のどの部分に○をつけるのか、正答を出すまでに、二つの選択をクリアしなければなりません。当校の問題を見ると、指示をしっかり聞かなければ解けない問題が多く出題されています。このようなことからも、当校では「聞く力」を重視しているとも受け取ることができます。そのため、日常生活を通し、「聞く力」の伸長に努めるようにしましょう。毎日積み重ねを行うことで少しずつ力が付きますので、コツコツと取り組むことをおすすめいたします。また、解答時間があまり長くないため、取りかかりを早くするように指導してください。難易度が高い問題ではありませんから、確実に解答し、全問正解したい問題です。

【おすすめ問題集】

Ｊｒ・ウォッチャー11「いろいろな仲間」、27「理科」、55「理科②」

問題5　分野：図形（模写）

〈準備〉　鉛筆

〈問題〉　①②上の図形を下の四角に同じように書いてください。

〈時間〉　１分

〈解答〉　省略

学習のポイント

図形の問題は、点つなぎと模写の２問出題されており、どちらの問題も、位置関係の把握が重要になってきます。点つなぎは、どの点と、どの点が結ばれているのかを把握しなければなりません。特に、書き出しの場所を正確に把握できなければ、全体の位置がずれてしまいます。模写は、書き出しの位置については特に問題ありませんが、頂点をしっかりと書くことは重要です。どちらの問題にしても言えることですが、一つひとつの線を丁寧に、正確に書く必要があります。また、筆圧もチェックしましょう。薄すぎて、採点者が見えなければ不正解になってしまいます。誰が見てもはっきりと分かるように書くのも図形問題の一つのポイントといえます。その上で、時間内に解答を導き出すスピード力も求められます。そのためにも、正しい筆記用具の持ち方、線の引き方などを練習しておくとよいでしょう。

【おすすめ問題集】

Ｊｒ・ウォッチャー１「点・線図形」、51「運筆①」、52「運筆②」

問題６　分野：欠所補完

〈準 備〉　鉛筆

〈問 題〉　それぞれのものの絵には足りない部分があります。その足りない部分に○をつけてください。

〈時 間〉　各10秒

〈解 答〉　下図参照

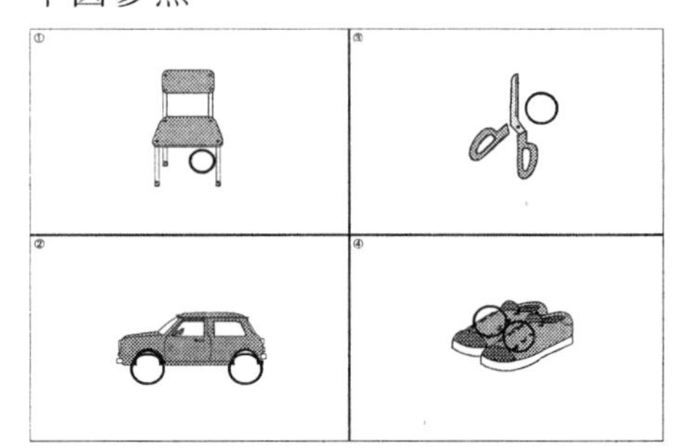

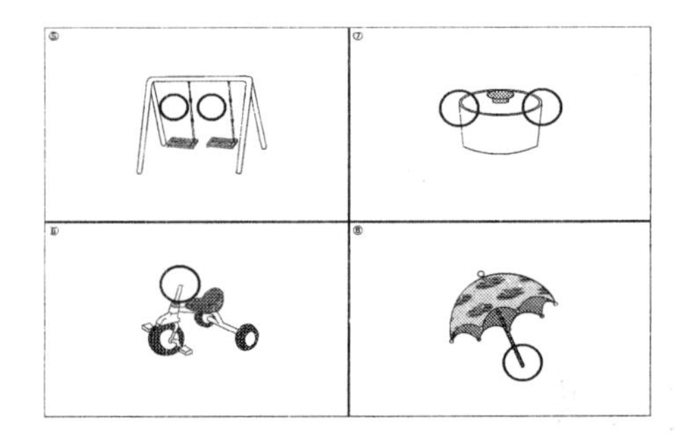

学習のポイント

当校の欠所補完の問題は、足りない部分に○をつけるという出題方法を取り入れていることが特徴です。印は他の部分の絵に重ならないように、また、薄くて判別できないということがないよう、濃くしっかりと書くようにしましょう。また、欠所補完の問題のアプローチ方法として、元の絵の途切れている線がどの位置にあり、どのようになっているのかを把握し、それに合う線の絵を探していくのが効果的です。位置関係の把握は、お子さまに描かせて台紙に貼り、ハサミで切ってパズルを作成するなど、手先を動かす練習などを取り入れることをおすすめします。自分で描くと線がどのようになっているかを把握しやすいからです。ぜひ試してみてください。

【おすすめ問題集】

Ｊｒ・ウォッチャー59「欠所補完」

問題7　分野：図形（重ね図形）

〈準 備〉　鉛筆

〈問 題〉　絵を見てください。重なっているものを下から選んで○をつけてください。

〈時 間〉　45秒

〈解 答〉　ゴリラ、ニワトリ、サイ

学習のポイント

重ね図形の問題については、弊社が提唱している、「答え合わせをお子さま自身にさせる」方法を用いることをおすすめします。学習は、問題を解くだけではありません。問題の説明をさせること、作問をすること、答え合わせをすることもすべて学習です。ここでは答え合わせをお子さまにさせる方法をご紹介します。用意する物は、クリアファイルとホワイトボード用のペンです。クリアファイルを元の形の上に置きます。そして、ペンでその形をなぞります。書いたら、もう一つの形の上に重ねます。すると、見える物が正解となりますので、自分が解答した物が合っているか、自分で確認することができます。

【おすすめ問題集】
　Ｊｒ・ウォッチャー35「重ね図形」

問題8　分野：図形（同図形探し）

〈準 備〉　鉛筆

〈問 題〉　上の絵と同じものを下から選んで○をつけてください。

〈時 間〉　20秒

〈解 答〉　右から２番目

学習のポイント

同図形探しの問題では、どこに着眼するかがポイントです。同図形の問題は、元の図形があり、それと比較をして正解を見つけていく問題と、描かれた絵（選択肢）の中から同じもの（違う物）を探して解答する問題と、大きく分けて二つの出題方法があります。一方、それに対する解き方も大別すると二通りあります。どちらの問題にも共通して使用できるのが、選択肢同士を比較して、相違点を元の図形と比較する方法です。まずは、選択肢同士を比べ、明らかに違う箇所があるものを選択肢の中から除外します。この時、違う箇所に印を付けておくと、後で見直すときに有効です。そうして選択肢を少なくしてから正解を見つける方法です。この方法を修得すると、元の図解がない状態の問題でも対応できます。もう一つは、元の絵の箇所を決めて比較していく方法です。どちらも修得しておくとよいでしょう。

【おすすめ問題集】
Ｊｒ・ウォッチャー４「同図形探し」

問題9　分野：運動

〈準 備〉　ボール（ドッジボール用）
　　　　　テープ（枠をつくる）

〈問 題〉　**この問題の絵はありません。**
　　　　　５～６人で１グループになる。
　　　　　枠の外の人がオニになり、ボールを投げずに転がして向こう側のオニに渡します。枠の中の人の足にボールが当たったら、その人は外へ出てオニになり、ボールを転がした人と交代してください。

〈時 間〉　適宜

〈解 答〉　省略

学習のポイント

まず、先生からルールの説明があります。その時点で、ルールを理解しなければなりません。これができていないと、運動が始まってからも、何をしてよいのか分からず、積極的に取り組むことができないからです。運動テストに限らず、身体を動かす課題の場合、積極的に参加していることは重要な観点の一つとして挙げられています。また、外から見ていると、理解をして動いているのかそうでないのかも一目瞭然です。理解できていないと判断された場合、この運動テストでよい点を得ることは難しいと言わざるを得ません。人の話を一度で理解し、行動に移すことは、運動テストの基本です。その次に技術面が来ることを忘れないでください。特に、コロナ禍以降、説明を聞くこと、その話を一度で理解して行動に移すことは重要観点として取り上げられています。

【おすすめ問題集】
Ｊｒ・ウォッチャー28「運動」、新 運動テスト問題集

問題10　分野：行動観察

〈準備〉　紙コップ（約20個）

〈問題〉　**この問題の絵はありません。**
５～６人で１グループになる。
みんなで協力して紙コップのタワーを作りましょう。

〈時間〉　５分

〈解答〉　省略

学習のポイント

このような問題の対策をとる場合、どのようにしたら上手く積めるかというのは間違えた対策です。この問題は、高く積もうとして崩れた時、そのグループがどのような対応を見せるかが観点になります。ここで、失敗した人を責めたりする行為は絶対にしてはいけません。場合によっては、一発で不合格となりますので注意してください。もし自分ならどう思うのか、立場を変えて考えれば、どのような対応をしなければならないか分かると思います。これを普段から考えていれば、日常生活の行動にも表れるはずです。

【おすすめ問題集】
Ｊｒ・ウォッチャー29「行動観察」

問題11　分野：保護者面接

〈準備〉　なし

〈問題〉　**この問題の絵はありません。**
・本校を志望した理由を教えてください。
・本校は専願で志望されましたか。
・オープンスクールには参加されましたか。感想を教えてください。
・アレルギーはありますか。学校が気をつけておいたほうがよいことがあれば教えてください。
・本校までの通学方法について教えてください。
・（クラス国際受験者へ）今までの英語の学習について教えてください。

〈時間〉　５分

〈解答〉　省略

学習のポイント

質問内容自体は特に難しいものはありません。お子さまのことをきちんと観ているのか、理解しているのか、保護者としての姿勢が問われている面接といえるでしょう。この場合、回答内容もさることながら、回答している人の姿勢が大切になってきます。面接テストは自分の意見を相手に伝える場です。ですから、立て板に水ですらすら答えても、気持ちがこもっていなければ相手の心には伝わりません。例え、途中でつっかえてしまったとしても、相手に訴えるように回答すれば気持ちは伝わります。面接テストとは、後者の対応が大切であり、かつ内容がどうであるかというテストです。みなさんは回答ばかりに気がいってしまうと思いますが、姿勢が大切であることを忘れず、対策に取り組んでください。

【おすすめ問題集】

新 小学校受験の入試面接Q＆A、保護者のための入試面接最強マニュアル

問題12　分野：お話の記憶

〈準備〉　鉛筆

〈問題〉　大きなお山のふもとに住んでいる、かわいい５歳の女の子さとちゃんが、今日も元気よく起きてきました。お山やお家の周りは、真っ白な雪が積もっています。昨夜はたくさんの雪が降ったので、周りのお山が一段と大きく見えます。さとちゃんのお家は、おじいさんと、おばあさん、お父さんとお母さん、ふもとの学校に通っている４年生のお兄さん、体が大きくて、毛がふさふさしている犬のコロの６人と１匹の家族です。今日は晴れてとてもよい天気です。さとちゃんはおじいさんにそりを出してもらい、そり滑りに行きました。コロも一緒についてきました。しばらく遊んでいるとコロが吠えだしました。向こうの山の方からクマやリス、タヌキ、キツネたちがやってきました。さとちゃんは山の動物たちと仲が良いのです。「どうしたの」と聞くと、クマさんが「寝てばかりいると退屈でね」と答えました。するとキツネさんが「さとちゃん、僕たちと遊ぼうよ」と言いました。クマさんが大きなそりを持ってきたので、そりで遊ぶことにしました。大きなそりにはクマさんとコロとさとちゃんが乗り、さとちゃんのそりにはキツネさんとタヌキさんとリスさんが乗りました。一度滑ったとき、キツネさんが「さとちゃんのそりはそんなに大きくないから、狭くて窮屈だよ」と言いました。それで、大きなそりにはリスさんが移ってきて、さとちゃんがリスさんを抱っこして乗ることになりました。しばらくすると、お兄さんが学校から帰ってきたので、お兄さんも一緒にそり滑りをすることになりました。大きなそりにはクマさんとコロとさとちゃん、さとちゃんのそりにはキツネさんとリスさん、お兄さんのそりには、お兄さんとタヌキさんが乗り、競争することになりました。１番早かったのはお兄さんのそりで、次はクマさんのそりでした。「今日は楽しかったね。また遊ぼうね」と言って、みんなはそれぞれお家へ帰りました。

（問題12の絵を渡す）
①さとちゃんの家族はどれでしょうか。○を付けてください。
②一度滑った後、ほかのそりに移った動物は誰でしょうか。○を付けてください。
③お兄さんも一緒にそり滑りをすることになった時、お兄さんのそりにはお兄さんとどの動物が乗りましたか。○をつけてください。さとちゃんのそりに乗った動物には△を付けてください。
④そり滑り競争で最後にゴールしたのは誰が乗っていたそりでしょうか。その動物に○をつけてください。

〈時間〉　各15秒

〈解答〉　①真ん中　②リス　③△：キツネ・リス　○：タヌキ　④キツネ・リス

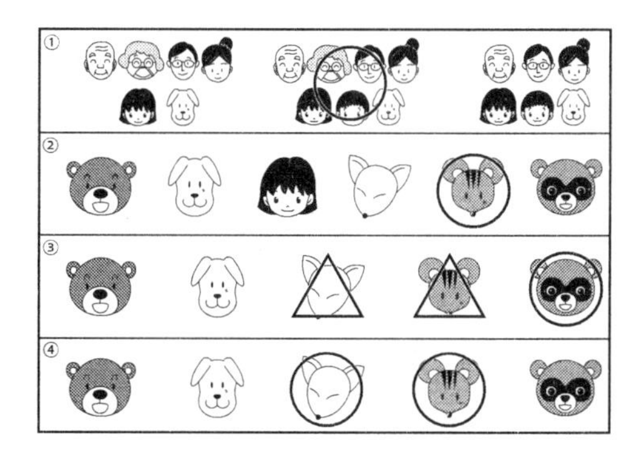

［2022年度出題］

学習のポイント

このお話のポイントは、そりに乗る動物が変わることをしっかりと把握し、記憶できているかという点です。シチュエーションは大きな変化がないため、イメージしやすいと思います。しかし、そりに乗る動物が色々変わります。ですから、状況の変化をきちんと把握できていたかどうかを確認することをおすすめいたします。最初は誰がどのそりに乗っていたのか、次にどうなったのかをお子さまに確認してみてください。お話を最後までしっかりと聞き、対応することは、入学試験全ての問題において重要なことです。そのような視点から観ると、設問④の問題ができていたかどうかは非常に大切です。しかし、設問③は設問④と解答が同じ部分があります。１つのことに対して別の視点から尋ねるような問題になっておりますので、両方の問題に正解できて初めてしっかりと記憶できていたと取ることができるでしょう。また、設問④の問題は、お話の中には直接出てきません。お子さまが記憶した情報の中から消去法で見つけていくことになります。お話の記憶は読まれた内容だけを把握すればよいのではなく、記憶した情報を基に思考していく問題と理解していただきたいと思います。

【おすすめ問題集】

１話５分の読み聞かせお話集①・②、お話の記憶 初級編・中級編・上級編、
Ｊｒ・ウォッチャー19「お話の記憶」

問題13　分野：見る記憶

〈準 備〉　鉛筆

〈問 題〉　（問題13－１の絵を15秒見せた後、13－２の絵と交換して、問題を出す。）
この絵をしっかり見て覚えてください。
先ほど見た絵にあったものはどれでしょうか。全部に○をつけてください。

〈時 間〉　15秒

〈解 答〉　アヒル、カニ、ラクダ、めがね

［2022年度出題］

学習のポイント

４つの絵を記憶して、どの絵があったかを答えるという、「見る記憶」としてはオーソドックスな問題といえるでしょう。難易度も高くはなく、基本レベルの問題となっています。しかし、このような問題こそ、他のお友だちにとっても点の取りやすい問題であるため、取りこぼしがないようしっかりと正解したいものです。みんながで きていて自分ができないとなれば、合格は遠のいてしまいます。描かれてある絵も、お子さまにはなじみのあるものばかりですから、覚えやすかったと思います。記憶系の力を付ける特効薬のようなものはありません。力の伸びは、取り組んだ量に比例すると言われています。さまざまなものを使用して記憶力のトレーニングをしましょう。

【おすすめ問題集】

Ｊｒ・ウォッチャー20「見る記憶・聴く記憶」

問題14　分野：数量（数の比較）

〈準備〉　鉛筆

〈問題〉　それぞれ２つの四角で、数の多い方に○をつけてください。

〈時間〉　30秒

〈解答〉　テントウムシ：右、バッタ：左、カマキリ：右、アヒル：右、ニワトリ：左、セミ：右

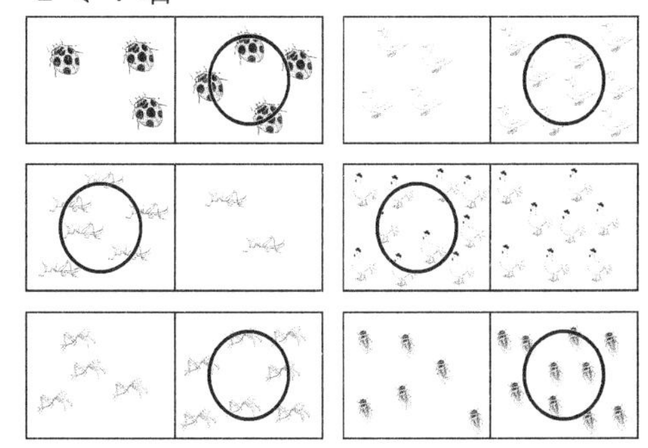

［2022年度出題］

学習のポイント

基本は両方を数えて比較して解答する方法ですが、数が多い場合、両手を使用し、四角の中に描かれている絵を左右同数、指で隠し、数を減らして解答する方法もあります。どの方法でも構いませんが、複数習得しておくとよいでしょう。また、数は10までスムーズに数えられるよう練習しておきましょう。一目瞭然で判断できる箇所もありますので、数えるのが得意なお子さまは時間が余るかもしれません。余った時間は、解答の見直しにあててください。類似問題として、数種類の物がランダムに描いてあり、「１番多いもの」、「３番目に多いもの」を答えるケースがあります。柔軟な対応力が求められますので、違ったパターンの練習もぜひやってみてください。

【おすすめ問題集】

Ｊｒ・ウォッチャー14「数える」、15「比較」、58「比較②」

問題15　分野：図形（重ね図形）

〈準 備〉　クーピーペン（黒）

〈問 題〉　絵を見てください。重なっているものを下から探して○をつけてください。

〈時 間〉　45秒

〈解 答〉　①チョウチョウ・アヒル・トンボ
②シャツ・スカート・ネクタイ
③○・△・□
④□・◇・△・ダルマ型

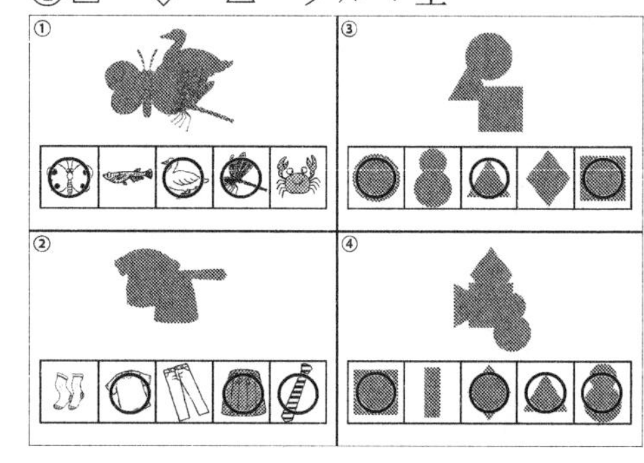

［2022年度出題］

学習のポイント

このような重ね図形の問題は、それぞれ選択肢に描かれてある絵の特徴をしっかりと把握することから始まります。他の多くの問題の場合、問題の絵を見てから選択肢を見るパターンが多いと思いますが、重ね図形の問題の場合、選択肢の絵の特徴となるものを把握した上で問題の絵を見ると、簡単に見つかります。例えば、①の問題の場合、蝶は羽や触覚、メダカは形、アヒルは頭、胴体、足、トンボは羽としっぽ、カニはハサミと足、というような感じで特徴を覚えます。次に問題の重ねられた絵の方を見ると、蝶の羽、アヒルの頭、トンボの足としっぽ、という特徴がすぐに分かります。この分野の問題は、着眼点をどこに持っていくかで、答えを探すときに差がつきます。また、はみ出ている部分が少なければ少ないほど、重なり具合が多いほど、答えに繋がる情報は少なくなります。しかし、多くの問題に触れることで、どこに着眼点を持っていけばいいのかを早く見つけられるようになります。

【おすすめ問題集】
Ｊｒ・ウォッチャー35「重ね図形」

問題16　分野：図形（図形合成）

〈準備〉　鉛筆

〈問題〉　左側の形を作るには、右側のどの形を組み合わせるとよいでしょうか。その形に○をつけてください。

〈時間〉　２分

〈解答〉　下図参照

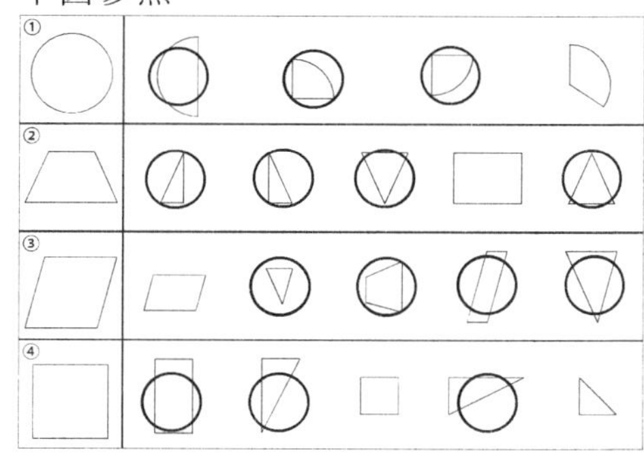

［2022年度出題］

学習のポイント

このような具体物の操作を繰り返していると、実際に切り取ってやらなくても頭の中で操作できるようになります。こうした力は入学試験の時に大いに役立つ実力の１つとなります。特に設問③の問題は難易度が高く、苦戦するお子さまも多くいらっしゃると思います。一度立ち止まると、似たような組み合わせしか浮かばなくなってしまうこともあるのではないでしょうか。悩んだら切り替えて違うパターンを考える気持ちの転換も必要となります。このような問題の解き方の１つに、一番大きな形を先に入れて、隙間に何が入るかを考えるという方法がありますので、覚えておいてください。

【おすすめ問題集】
Ｊｒ・ウォッチャー９「合成」、45「図形分割」、54「図形の構成」

問題17　分野：常識（違う仲間）

〈準備〉　鉛筆

〈問題〉　それぞれの段の中に隠れている仲間はずれを見つけて、その絵に○をつけてください。

〈時間〉　20秒

〈解答〉　①ボール　②ゾウ　③ミカン　④カシワモチ

［2022年度出題］

学習のポイント

①はボール以外は料理に関係のあるもの、②はゾウ以外は爬虫類の仲間です。③はミカン以外の物は夏に収穫するもの、④は柏餅以外は秋の季節のもの、となっています。受験勉強も大切ですが、①③④は日常生活から学べるものでもありますので、日々の生活を丁寧に過ごすこともお子さまにとっては重要な学びの場になるでしょう。まずはその点がしっかりと把握できているか、答え合わせの前にお子さまに聞いてみましょう。こうした違う仲間や同じ仲間集めの問題は、それぞれの特徴、季節、生体など、多くの方向から基準を見つけることができるかという点が大切です。

【おすすめ問題集】
Ｊｒ・ウォッチャー11「いろいろな仲間」

問題18　分野：運動

〈準備〉　ボール（この問題は複数人で行う）

〈問題〉　**この問題の絵はありません。**
このボールでドッジボールをしましょう。

〈時間〉　適宜

〈解答〉　省略

［2022年度出題］

学習のポイント

運動は得意、不得意がはっきりと二極化されます。また、運動が苦手だからダメ、あるいは運動神経がよいからＯＫというような簡単な評価でもありません。ペーパーテストと違い、お子さま自身が動いて取り組む試験の採点は基準が１つではありません。様々な観点があり、複合的に観られていると思ってください。運動テストで気をつける観点として重要視されているのは、意欲、積極性、協調性、態度、集中力、片付け、ルールの遵守などです。自身の得手不得手に関わらず、楽しく一生懸命に取り組む姿勢が大事です。しかし、何よりも大切なことは、ルールを守って楽しく取り組むことだということを忘れないでください。

【おすすめ問題集】
Ｊｒ・ウォッチャー28「運動」、29「行動観察」、新 運動テスト問題集

問題19　分野：行動観察

〈準備〉　積み木

〈問題〉　**この問題の絵はありません。**
1人で行う
・右手を挙げてください。
・左手を挙げてください。

複数人で行う（協同作業）
・今からここにある積み木を使って、みんなで協力しながらお城を作ってください。

〈時間〉　適宜

〈解答〉　省略

［2022年度出題］

学習のポイント

最初の方の模倣に関しては特に難しいことはありません。先生の指示を聞き、素早く行うことです。お子さまの中には左右分別が混乱してしまっている方もいらっしゃると思いますが、その場合、利き手だけを常に意識させててください。右手が利き手なら、常に右だけです。その反対が左になります。左右を一緒に教えると混乱してしまうので、基準がしっかりできてから反対を教えてあげてください。後半の積み木でお城を造る協同作業ですが、この目的は上手にできたかどうかよりも、うまくいかなかったとき、どのような対応をとったかが評価に大きく影響します。ドミノ、牛乳パックをできるだけ高く積むなども同類の観点を持つ作業です。また、協同作業は話し合いが必要です。自分だけ好き勝手に作ってうまくいったとしても、よい評価は得られません。結果よりもプロセスを重視して取り組んでください。

【おすすめ問題集】
Ｊｒ・ウォッチャー29「行動観察」

問題20　分野：保護者面接

〈準備〉　なし

〈問題〉　**この問題の絵はありません。**
・本校を志望した理由を教えてください。
・お子さまにアレルギーはありますか。
・どのようなお子さんに育ってほしいと思いますか。
・教育で重視していることはどのようなことか教えてください。

〈時間〉　適宜

〈解答〉　省略

［2022年度出題］

学習のポイント

コロナ禍になってから、お子さまは外での活動やお友だちとの関わりなど、生活体験を積むことができなかったと思います。その分、お子さまは保護者の方の影響をより強く受けています。ですから、このようなお子さまの成長に関する質問は、躾についての考え、教育についての考え、人生哲学に関することまで問われることがあります。これらの質問は考えて答えるものではなく、今まで実践してきたことを訊かれているので、即答できることが望ましいと言えます。また、面接テストでは、訊かれたことを簡潔明瞭に答えることが求められます。質問内容以外のことを答えた場合、人の話を聞いていないと受け取られかねません。また、過度によいことを述べようとするよりも、自信を持って堂々と、大きな声ではっきりと伝える方がよい評価が得られます。なぜなら、面接官は保護者の方の回答そのものだけではなく、言葉の背景を観ているからです。詳しくは、弊社発行の「面接テスト最強マニュアル」をご覧ください。保護者面接に特化した専用の問題集で、詳細なアドバイスが面接官の視点に立って書かれてあります。ぜひご参考ください。

【おすすめ図書】

新 小学校受験の入試面接Q＆A、家庭で行う面接テスト問題集、
保護者のための面接最強マニュアル

家庭学習のコツ①　「先輩ママのアドバイス」を読みましょう！

本書冒頭の「先輩ママのアドバイス」には、実際に試験を経験された方の貴重なお話が掲載されています。対策学習への取り組み方だけでなく、試験場の雰囲気や会場での過ごし方、お子さまの健康管理、家庭学習の方法など、さまざまなことがらについてのアドバイスもあります。先輩ママの体験談、アドバイスに学び、ステップアップを図りましょう！

〈就実小学校〉

※問題を始める前に、本書冒頭の「本書ご使用方法」「本書ご使用にあたっての注意点」をご覧ください。

保護者の方は、別紙の「家庭学習ガイド」「合格のためのアドバイス」を先にお読みください。
当校の対策および学習を進めていく上で役立つ内容です。ぜひご覧ください。

2023年度の最新問題

問題21　分野：お話の記憶

〈準　備〉　12～16色クレパス

〈問　題〉　お話を聞いて、質問に答えましょう。

今日は日曜日です。みどりちゃんは、朝からワクワクした気持ちで目が覚めました。今日は、お母さんとお兄さんと妹の４人で、公園へピクニックに行く日なのです。昨日は雨が降っていたので、みどりちゃんは心配になって空を見上げてみました。すると、雲が広がっていましたが、雨は降っていませんでした。みどりちゃんはほっとして準備を始めました。お気に入りの動物が描いてあるＴシャツを着て、リュックサックに帽子と水筒とボールを入れました。靴を履いていると、お母さんに「ハンカチを忘れないようにね」と言われて、部屋に取りに戻りました。バスに乗って公園に着くと、たくさんの人がいて混んでいました。公園でしばらく遊んでいると、あっという間にお昼になったので、シーツを広げてみんなでおにぎりを食べました。みどりちゃんのお弁当にはゆでたまご、お兄さんのお弁当には玉子焼き、妹のお弁当にはウインナーが入っていました。お昼ご飯を食べた後は、ボール遊びをして、みんなでどんぐり拾いをしました。お兄さんが４つ、みどりちゃんが３つ、妹が１つ拾いました。

（問題21の絵を渡す）
①ピクニックに行く日の天気はどれですか。青のクレパスで○をつけてください。
②みどりちゃんが着ていたのはどれですか。緑のクレパスで△をつけてください。
③拾ったどんぐりは全部でいくつですか。その数だけ赤のクレパスで○を塗ってください。
④みどりちゃんが持っていかなかったものはどれですか。青のクレパスで△をつけてください。
⑤お兄さんのお弁当に入っていたものはどれですか。赤のクレパスで○をつけてください。

〈時　間〉　各15秒

〈解　答〉　①右端　②右端　③○８つ　④左端　⑤左端

学習のポイント

お話の内容としてはイメージしやすい内容です。大人はキーワードを見つけて記憶していきますが、子どもは、お話全体をイメージして記憶します。その後、頭の中で記憶したイメージを思い出して解答を出します。ですから、イメージ化して記憶する練習をしなければ、なかなか上達はしません。お話の記憶の上達が一朝一夕に身に付かないと言われているのはこのためです。また、お話の記憶は、読み聞かせの量に比例するとも言われています。学習時だけでなく、生活の中にいても、読み聞かせをたくさん取り入れましょう。読み聞かせは抑揚を付けず、読み終えたら感想やクイズをして記憶する練習をします。また、体験したことと似た内容がお話に出てくると、体験を通して記憶することができますので、生活体験をたくさん積むように心がけましょう。

【おすすめ問題集】

1話5分の読み聞かせお話集①・②、お話の記憶 初級編・中級編・上級編、
Ｊｒ・ウォッチャー19「お話の記憶」

問題22　分野：数量

〈準 備〉　鉛筆

〈問 題〉　①水槽にいる生き物の中で、2番目に多い生き物はどれですか。下の段の生き物に○をつけてください。
②上の段の○は、左の○とあといくつに分けられますか。その数だけ○を書いてください。
③フォーク、お皿、ナイフをセットにした時、それぞれいくつ余りますか。余るもののその数の分だけ○を書いてください。

〈時 間〉　5分

〈解 答〉　①右端　②○４つ　③お皿：○１つ　ナイフ：○４つ

学習のポイント

1枚の問題に数量に関する問題がいくつか出てきます。出題されている比較、分配、組み合わせはよく出題される基本的な問題であるため、この問題を参考にし、日常生活に落とし込んで体験を積むことをおすすめします。例えば、数の違うお菓子を出し、同じ数ずつ分けることで、数の分配の思考を養うことができます。このような生活で体験していれば、この問題も答えることができるでしょう。頭の中で数がイメージできるよう、練習を積みましょう。

【おすすめ問題集】

Ｊｒ・ウォッチャー14「数える」、15「比較」、40「数を分ける」、
42「一対多の対応」

問題23 分野：言語

〈準備〉 鉛筆

〈問題〉 ①左の絵とはじめの音が違うものに○をつけてください。
②左の絵の音の数だけ○を塗ってください。
③左上の四角の絵から右下の四角の絵までしりとりを線でつなげてください。

〈時間〉 各15秒

〈解答〉 ①きりん ②○４つ ③下図参照

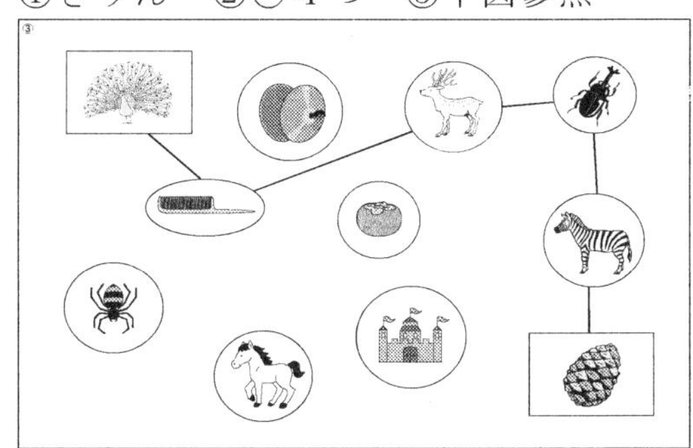

学習のポイント

この問題も複数の問題が１枚にまとめられています。このような出題形式の場合、確実に解くことが求められます。ですから、問題数の割に、幅広い学習が求められます。先の問題のアドバイスにも書きましたが、このような出題形式には、日常生活に落とし込んだ対策がおすすめです。多くの小学校は、生活体験を基盤として知的好奇心を育み、興味関心から能動的に知識を習得する習慣を身につけてほしいと考えています。出題形式から、当校も同様の考えを持っていると、読み解くことができます。保護者の方は、机上に特化した学習ではなく、お子さまが能動的に知識の習得ができる環境を作ってください。特に間違えた問題の学習には、時間をかけ、お子さま自身で正解を見つけ出せるようにしましょう。お子さまの自信にもつながり、有効な学習です。そして、言語に関する力は読み聞かせと会話が重要です。両方を多く取り入れるように心がけましょう。

【おすすめ問題集】
Ｊｒ・ウォッチャー17「言葉の音遊び」、49「しりとり」、
60「言葉の音（おん）」

問題24　分野：図形（模写・裏返し図形）

〈準 備〉　鉛筆

〈問 題〉　①上の図形を見て、同じように下に書いてください。
②左のお手本を矢印の方向に裏返すとどのようになりますか。正しいものに○をつけてください。

〈時 間〉　２分

〈解 答〉　①省略　②上：真ん中　下：右端

学習のポイント

点つなぎの問題は、書き出しの位置関係の把握が重要です。この書き出しを間違えると全体がズレてしまうため、確実に位置の把握ができなければなりません。書き出しが分かったら、次の点がどこかを把握して、線をしっかりと書きましょう。特に斜めの線は難易度が高く、正確に書くには先の点をしっかりと把握することが重要となります。②の図形を裏返す問題は、上下に裏返すと上下が逆になり、左右の方向に裏返すと左右が反転することがきちんと把握できているか確認するとよいでしょう。具体物を使用して学習すると、理解度が上がりますので試してみてください。

【おすすめ問題集】
Ｊｒ・ウォッチャー１「点・線図形」、46「回転図形」、51「運筆①」、52「運筆②」

問題25　分野：推理（観覧車・推理思考）

〈準 備〉　鉛筆

〈問 題〉　①矢印の方向に２つ動いた時、一番上に来る動物に○をつけてください。
②牛乳の紙パック１本は牛乳びん２本と同じです。牛乳びん１本はコップ２杯と同じです。この時、牛乳の量が一番多いものに○をつけてください。

〈時 間〉　３分

〈解 答〉　①くま　②右から２番目

学習のポイント

観覧車は難しく考えずに、頭の中で動くイメージをすればどうなるかは分かると思います。2つ動くと単純にとらえることで難易度を下げて取り組むことができるでしょう。②の量の比較ですが、それぞれの関係性が分かれば、あとは置き換えて考えていきます。牛乳パックの半分が牛乳ビン1本、牛乳ビン1本の半分がコップ1杯という関係性が理解できていますか。また、この逆は、牛乳ビン1本がコップ2杯、牛乳パック1本が牛乳ビン2本、つまりコップ4杯になります。入学後に習うかけ算や割り算の基礎となるため、今のうちにどちらも理解できるようにしておくとよいでしょう。小学校入試の問題は、合否だけでなく、入学後の学習の土台となることを理解して、学習に取り組むようにしましょう。

【おすすめ問題集】
Ｊｒ・ウォッチャー31「推理思考」、50「観覧車」

問題26　分野：常識（理科）

〈準備〉　鉛筆

〈問題〉　季節が同じものを線で結んでください。

〈時間〉　30秒

〈解答〉　下図参照

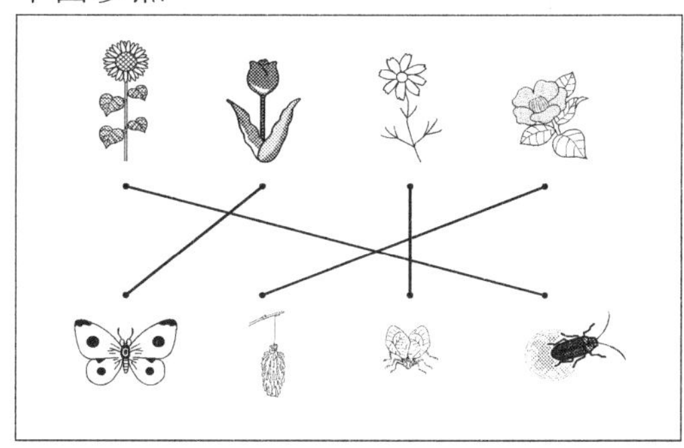

学習のポイント

上の問題は同じ季節を線で結ぶ問題ですが、出題方法としては珍しい問題です。よく見られるのは、花と種、花と葉を結ぶ問題です。花と種はかなり難易度が高くなりますが、花全体としてとらえておけば、出題されたとしても対応できると思います。生き物の場合は、卵、幼虫、さなぎ、成虫など、生体の変態を取り上げる物が多く出されます。他にも関連する物を結びつける問題は色々ありますから、日常会話において、さまざまなものを結び付けることを取り入れ、関連する範囲を広げていきましょう。また、問題をしっかり聞かず、絵だけ見ても、この問題は対応ができないと思います。間違えたお子さまの場合、間違えた原因をしっかりと把握して対応しましょう。

【おすすめ問題集】
Ｊｒ・ウォッチャー27「理科」、34「季節」、55「理科②」

問題27　分野：常識

〈準 備〉　鉛筆

〈問 題〉　関係のあるものを線で結んでください。

〈時 間〉　30秒

〈解 答〉　下図参照

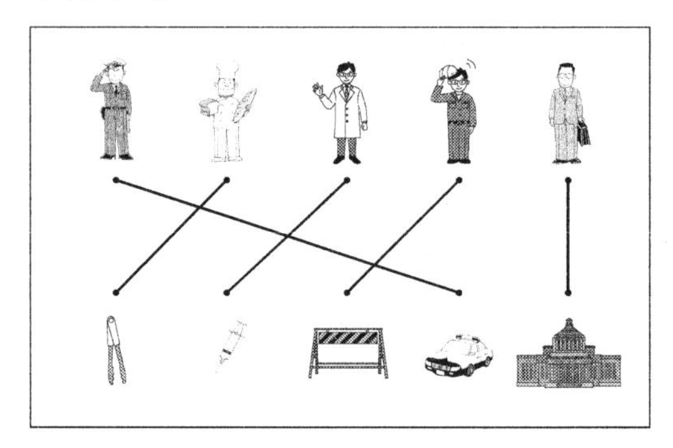

学習のポイント

前問と似て、関連する物同士を線で結びますが、この問題は仕事とそれに関連するものを結びます。問題の正誤も気になると思いますが、まずは、●と●をきちんと線で結べていたか、書いた線はしっかりとした直線だったかということも大切ですので、確認をしておいてください。問題に関してですが、この中で戸惑ったのは、国会ではないでしょうか。お子さまには馴染みのないものですから、難しかったと思います。しかし、他の４つを組み合わせることができれば、残った物同士を結び付けることができます。保護者の方は、お子さまに何か指定し、それに関係するものを言わせるゲームを取り入れてみてください。お子さまは、関係する物をいくつ言えるでしょうか。例えば、消防士と言ったとき、消防車、ホース、火事、防火服など、色々あると思います。こうして関連するものを挙げていきます。これは、学習ではなくゲームとして楽しみながら行ってください。

【おすすめ問題集】
　Ｊｒ・ウォッチャー12「日常生活」

問題28　分野：常識（道徳）

〈準備〉　鉛筆

〈問題〉　いけないことをしている人、一人ずつに△をつけてください。

〈時間〉　1分

〈解答〉　下図参照

学習のポイント

こうした常識の問題は、全国的にも差が生じる問題の一つとなっています。その理由は、お子さまのコロナ禍の生活が大きく影響しています。コロナ禍の生活を強いられたお子さまは、コロナ前のお子さまと比べ、生活体験量が少ないと言わざるを得ません。また、人との接触、関わりも少ないため、このような公衆道徳を学ぶ場があまりありませんでした。外でできなかったことを各家庭においてどのように躾けてきたかで、大きな差が生まれます。このような出題の場合、学校側は、お子さまの常識力を観察しつつ、お子さまを通して保護者の躾力を観ているとも言い換えることができます。入学後は集団生活が待っており、今まで以上に、自分で判断し動かなければなりません。入学後を見据えて、しっかりと公衆道徳を身につけましょう。

【おすすめ問題集】

Ｊｒ・ウォッチャー56「マナーとルール」

問題29　分野：図形（積み木）

〈準備〉　積み木

〈問題〉　黒い積み木を取った形を積んでください。

〈時間〉　5分

〈解答〉　省略

学習のポイント

この問題は、知識の有無もさることながら、積み木遊びの多少が大きく影響する問題です。普段から積み木遊びをしているお子さまの場合、頭の中で積み木を操作することができます。一方、知識を駆使して解答を見つけるとなると、全体の積み木が10個、取った積み木１個で、残った積み木の数は９個になります。まずは、10個の形を探し、次にその中から形がどうなっているかを見ていかなければならず、非常に複雑です。生活体験の多少が、このように解き方にも影響してきます。小学校受験の学習は机上だけでなく、生活そのものが対策となることを保護者の方は理解しておいてください。言葉のかけ方、アドバイスの方法など、お子さまが伸びる環境を作ってあげてください。

【おすすめ問題集】
Ｊｒ・ウォッチャー16「積み木」、53「四方からの観察（積み木編）」

問題30　分野：巧緻性（絵画制作）

〈準備〉　ハサミ、のり、茶色の色画用紙、黄色の色画用紙、白い画用紙（八つ切）
黒いペンで茶色の色画用紙にドングリの外枠、黄色の色画用紙にイチョウの外枠を描く。

〈問題〉　**この問題は絵を参考にして下さい。**
①どんぐりとイチョウを黒い線に沿って切り取ってください。
②切り取ったものを白い画用紙の好きなところに貼ってください。
③あなたとお友だちが外で遊んでいる絵を白い画用紙に描いてください。

〈時間〉　適宜

〈解答〉　省略

学習のポイント

このような巧緻性の問題の場合、いくつかの内容に区切って考えるとよいでしょう。まずは、指示の遵守、道具の使い方、作品の出来、取り組む意欲や姿勢などです。これらをさらに細分化してお子さまの巧緻性を観るようにすると、入試の観点に近づいたチェックができます。また、使い終わった道具の扱い、切り取ったゴミなどはどうなっていたでしょうか。試験はすることばかりが観点ではなく、終わったあとの状態も含めます。椅子が出したままになっていないかということもチェックポイントに入るため、保護者の方は重箱の隅まで意識をしてください。そして、これらのことは、日常生活を通して身につけていくとよいでしょう。また、巧緻性の試験対策は、何を作ったかということもさることながら、作るにあたり何に着眼したのか、考えてやることをおすすめします。

【おすすめ問題集】
Ｊｒ・ウォッチャー22「想像画」、23「切る・塗る・貼る」、24「絵画」

問題31　分野：運動

〈準備〉　ボール

〈問題〉　**この問題の絵はありません。**

①今から言う通りにしてください。その場所で手を大きく振って行進します。
②私がやる体操を一緒にやりましょう。初めはお手本を示しますので、続いて一緒にやってください。
・ラジオ体操第一を、モニターを見ながら行う。
③指示があるまでドリブルを続けてください。

〈時間〉　適宜（③は約１分）

〈解答〉　省略

学習のポイント

模倣の行動については、手を大きくふってという点が上手くできていたか、前に進まず歩く行進ということを理解し、実行できたかがポイントになります。指示では脚を高く上げてとは言われていませんが、最後に行進の指示が出ています。この点を聞き漏らさず対応できたかどうかもチェックしてください。ドリブルは、ボールを突く位置とリズム感が大切です。この二つが合わさって連続したドリブルができます。まずは、ボールを持ち、一度、地面に落とし上がってきたボールをとります。できたら、連続して行います。これでリズム感を習得します。できるようになったら、付く回数を２回にします。連続してできれば、あとは練習をすることで連続して突けるようになるでしょう。

【おすすめ問題集】
Ｊｒ・ウォッチャー28「運動」、新 運動テスト問題集

問題32　分野：行動観察

〈準備〉　なし

〈問題〉　**この問題の絵はありません。**

①同じ人数で２組に分かれてください。これから、どんじゃんけんをします。負けた人は列の一番後ろに並んでください。
②先生がいるところまでケンパで進んでください。

〈時間〉　適宜

〈解答〉　省略

学習のポイント

行動観察の出題者の狙いは、素の状態を観察する、競争心を持つと雑になる子どもを見分けるなどがあります。このどんじゃんけんは、小学校入試ではお馴染みのゲームです。ルールを守っているか、人を突き飛ばしたり、お友だちの悪口を言ったりしないか、意欲的に取り組んでいるかなどの観点があります。そもそも、行動観察のテストは、優劣を付ける内容ではありません。一人ひとりのお子さまがどうであるかが評価されます。焦らず、ルールを守り、楽しく積極的に取り組めるようにしましょう。その後、ケンパをして先生の所に行きます。途中で脚を入れ替えることなく、先生の所までケンパをして行けるように体力と脚力をつけましょう。

【おすすめ問題集】

Ｊｒ・ウォッチャー29「行動観察」

問題33　分野：保護者面接

〈準　備〉　なし

〈問　題〉　**この問題の絵はありません。**

・本校を志望した理由を教えてください。
・お子さまの名前の由来は何ですか。
・英語はどのように取り組まれていますか。
・将来、お子さまはどのような子に育ってほしいと思いますか。

〈時　間〉　適宜

〈解　答〉　省略

学習のポイント

保護者面接で、イマージョン教育に関して質問がされていますが、英語教育をしていないからと言ってダメというわけではありません。大切なのは、お子さまのことを理解し、凛とした姿勢で面接に臨んでいるかという、保護者の姿勢ととらえてください。面接において、途中で詰まってしまったらどうしようと不安になる必要ありません。学校側は暗唱を期待しているのではなく、意見を聴取したいと考えているため、面接テストにおいては内容が重要となっています。答えている時の姿勢、目、言葉の強さなどの、回答の中身を意識してください。このあたりの詳しいことは、弊社発行の「保護者のための入試面接最強マニュアル」に掲載されているアドバイスをご覧いただけると、もっと詳しく説明してあります。ぜひ、一度手にとってご覧ください。

【おすすめ問題集】

新 小学校面接Ｑ＆Ａ、保護者のための入試面接最強マニュアル

問題34　分野：行動観察

〈準備〉　赤のクーピーペン

〈問題〉　今からお話をしますので、よく聞いて後の質問に答えてください。

今日はえみちゃんの弟、としや君の誕生日です。えみちゃんは、お母さんからイチゴのショートケーキの材料のお使いを頼まれました。お母さんはえみちゃんにイチゴ、ミカン、バナナをお願いしました。えみちゃんはカバンと財布を持って出掛けました。お店に着くと、３人も並んでいました。えみちゃんは一番後ろに並んで待ちました。順番が来ると、お店のおじさんが「今日は一人でお使いかい？えらいね。」と言いました。えみちゃんはおじさんに、「イチゴとミカンとバナナをください。」と言いました。帰るとき、お店のおじさんに「おみやげだよ」と大きなリンゴをもらいました。帰り道で、お友達の森本君に会いました。近くの公園のブランコで、少しだけ一緒に遊んで帰りました。公園の周りの木から、セミの鳴き声が聞こえていました。

①えみちゃんがお使いに行くとき、持って行ったものに○をつけてください。
②えみちゃんがお母さんに頼まれて買ったものは何ですか。○をつけてください。
③お店に着いたとき何人待っていましたか。その数を赤色で塗ってください。
④えみちゃんと森本君が公園で遊んだものに○をつけてください。
⑤としや君が生まれた季節と同じ季節のものに○をつけてください。

〈時間〉　各15秒

〈解答〉　①カバン・財布　②イチゴ、ミカン、バナナ　③○を３個塗る
④ブランコ　⑤ひまわり

［2022年度出題］

学習のポイント

このお話は内容的にも、分量的にも記憶のしやすい内容となっています。その分、読み聞かせの量によって差がつく問題といえるでしょう。お話の記憶は「こうしたらいい」という特効薬のようなものは存在しません。お話の記憶の力を高める方法として、土台となるものが読み聞かせといわれています。これは、ＤＶＤを見せるなどとは違います。と申し上げるのも、肉声と録音されたものとでは、記憶に大きな差が生じます。入試でも、録音したものを使用すると、同じレベルの問題でも平均点は下がります。このことからも、保護者の方による読み聞かせがいかに重要であるかお解りいただけると思います。今回のお話はお買い物に行く内容となっていますが、お買い物に行った経験の多少も記憶には影響します。また、設問⑤ではこのお話の季節を問われていますが、お話の中に季節そのものは出てきません。公園の周りの木からセミの鳴き声が聞こえる、という内容からこのお話の季節が夏だと導き出します。こうしたことも生活体験が影響します。普段生活する中で、セミが鳴いている＝夏のお話ということが自然とわかるでしょう。こうしたことはお話の記憶ではよくあることですから、対応できるようにしておきましょう。

【おすすめ問題集】
１話５分の読み聞かせお話集①②、お話の記憶 初級編・中級編、
Ｊｒ・ウォッチャー19「お話の記憶」

問題35 分野：言語（しりとり）

〈準備〉 鉛筆

〈問題〉 絵を見てください。矢印からスタートして、しりとりでつなぎながら、黒丸のところまで線を引いてください。

〈時間〉 30秒

〈解答〉 スイカ － カイ － イチゴ － ゴリラ － ラクダ － ダチョウ － ウチワ － ワニ

［2022年度出題］

学習のポイント

こうした問題を目にしたとき、慌てないことが最重要となります。焦りは余裕を無くし、余裕がないと思考力が落ちます。ですから、落ち着いて臨めるようにしましょう。絵がたくさん描いてありますが、内容はお子さまにも馴染みのあるしりとりの問題です。この問題は普段の遊びと大きな違いはありません。そう考えると落ち着いて臨めるのではないでしょうか。慌てて解答すると、途中で繋がらなくなり、焦ってしまいます。例えばスタートの時点で、左右どちらにもしりとりを繋げられます。しかし、右に行くと途中の「シカ」のところで終わってしまいます。そのような事態を招かないよう、しっかりと考えて線を引くようにしましょう。この問題では、線を書くとき道の両方の線に触れないようにとは言われていませんが、両端の線に触れずに線を書けるようしっかりと練習しましょう。問題内容は言語（しりとり）としていますが、巧緻性に関することも採点基準に入れることができる問題です。

【おすすめ問題集】
Ｊｒ・ウォッチャー49「しりとり」

問題36 分野：言語（同頭音）

〈準備〉 鉛筆

〈問題〉 左の絵と右の絵で、同じ音から始まるもの同士を線で結んでください。

〈時間〉 30秒

〈解答〉 ①クマ － クツ、アサガオ － アシ、シマウマ － シカ、
ボタン － ボウシ
②トンボ － トンネル、クリ － クツシタ、アヒル － アスパラガス、
スカート － スイカ

［2022年度出題］

学習のポイント

言語の問題は、語彙の量が重要になってきます。これらは日常会話や読み聞かせによって、場所や時間を問わず身につけることができます。音遊びと称して、「はじめから○番目に「み」のつく言葉を言いましょう」「最初と終わりの音が同じものはなんでしょう」などの遊びを工夫することで、楽しく身につけられます。ぜひ試してみてください。言葉と実物の結びつきも併せてわかるように配慮することも大事なことです。この問題のチェックポイントとして、線がまっすぐ引けているか（蛇行していないか）、筆圧は濃いか、点と点をしっかりと結べているかなども観てください。特に長い線をしっかりと書けることは大切です。ぜひ練習しておいてください。

【おすすめ問題集】
Ｊｒ・ウォッチャー17「言葉の音遊び」、18「いろいろな言葉」、
60「言葉の音（おん）」

問題37　分野：言語（音）

〈準備〉　鉛筆

〈問題〉　絵を見てください。この絵の中で、最後の音が「ん」ではないものに○をつけてください。

〈時間〉　20秒

〈解答〉　エンピツ、カンガルー、シンバル、トライアングル、リンゴ

［2021年度出題］

学習のポイント

この問題の一番のポイントは、最後の音が「ん」ではないものと問われているところです。先の問題では「同じ音で始まるもの」が問われていますから、質問内容が逆になります。これは、お子さまが問題をしっかりと聞き、理解し、対応できるかという大きな観点が含まれています。こうした聞き分けがしっかりできていないと、入学後の授業にはついていけません。思いこみや早合点することなく、最後まで人の話を聞く訓練をしてください。特に今回の問題では、全ての絵に「ん」が含まれています。そのことがよりお子さまを混乱させることとなるでしょう。当校の入試において差がつくと考えられる大切な問題といえます。また、誰が見ても○に見えるよう丁寧に記入することも大切です。しっかりと記号を書かないと、人によっては△や□に見えてしまうかもしれません。大切なことは採点者が一目でわかるように記号を書くということです。

【おすすめ問題集】
Ｊｒ・ウォッチャー60「言葉の音（おん）」

問題38　分野：数量（数える）

〈準 備〉　鉛筆

〈問 題〉　左の四角の中には、いくつ物が入っているでしょうか。同じ数だけ右の四角の中に○を書いてください。

〈時 間〉　30秒

〈解 答〉　トマト：5、ドングリ：8、△：4、リンゴ：3、クリ：9、イチゴ：7

［2022年度出題］

学習のポイント

数量の基本は数を数えることです。このようなことは、日常生活の中で知らず知らずのうちに身についていくものです。数を数えるときにつく助数詞なども同様です。「１切れ食べようね」「１枚だけでも食べてね」「７粒～…」などのように耳から入る言葉、そして目で確かめる、そのようなことから身に付いていきます。問題の絵を数えるときは、間違える原因として重複や数え忘れが多く見られるため、数える方向・順番を常に一定に定めておくことをおすすめします。数える方向性を常に一定にすることで、このようなミスを防ぐことができるので、身につけておきましょう。

【おすすめ問題集】

Ｊｒ・ウォッチャー14「数える」、37「選んで数える」

問題39　分野：数量（数の合成）

〈準 備〉　鉛筆

〈問 題〉　左側の数にするには、右側のどれを組み合わせればよいでしょうか。その四角に○をつけてください。

〈時 間〉　30秒

〈解 答〉　どんぐり：２と６、△：２と８、リンゴ：２と４と３

［2022年度出題］

家庭学習のコツ③　効果的な学習方法～問題集を通読する

過去問題集を始めるにあたり、いきなり問題に取り組んではいませんか？　それでは本書を有効活用しているとは言えません。まず、保護者の方が、すべてを一通り読み、当校の傾向、ポイント、問題のアドバイスを頭に入れてください。そうすることにより、保護者の方の指導力がアップします。また、日常生活のさまざまなことから、保護者の方自身が「作問」することができるようになっていきます。

学習のポイント

同じ「８」という数でも「８」にするには幾通りもの組み合わせがあります。これを学ぶには初めに「５」までの組み合わせをしっかり理解することです。「１が５こで」５、「２と３」で５、「４と１」で５、「１と２と３」で５～と、このように何通りか組み合わせながら数を数えて学んでいくと、数量に対する諸問題が難なく解決できます。「５」以上は「５に１」で６、「５に２」で７～ということが理解しやすくなります。数を数えるときは、頭で１・２・３～と数えるのではなく、物を数えるようにしていくことをおすすめします。この問題の難しい点は、合わせる数の指定がないことです。選択肢の数が指定されていればいくらか楽ですね。今回の問題はかなり難しいといえるでしょう。

【おすすめ問題集】
Ｊｒ・ウォッチャー41「数の構成」

問題40　分野：図形（点結び）

〈準　備〉　鉛筆

〈問　題〉　左の絵と同じ形になるように、点と点を線で結んでください。２枚目も同じようにやってください。

〈時　間〉　１分

〈解　答〉　省略

［2022年度出題］

学習のポイント

点結びの一番大切なことは、書き出す最初の位置関係を正確に理解することです。ここで間違えると、線を進めているうちに書く場所がなくなってしまうことがよくあります。そうならないためにも、最初の場所を正確に把握することに集中しましょう。また、線を書くのは、縦と横だけとは限りません。斜め線も書くことがあります。特に点と点の間を通る直線は、線を書く長さが長くなるほど、難易度は増してきます。この斜め線を正確に引くことが、点結びの問題では力量の差が出るポイントです。問題を解くだけでなく、上から下へ、右上から左下へ、左上から右下へ、右から左へ、左から右への直線、曲線の練習をしておくとよいでしょう。これらの技術は模写だけに通用するものではなく、ほかの問題でも役に立ちます。しっかりした線は印象も良くなります。

【おすすめ問題集】
Ｊｒ・ウォッチャー１「点・線図形」、２「座標」、51「運筆①」、52「運筆②」

問題41　分野：数量（系列）

〈準 備〉　鉛筆

〈問 題〉　上の絵の空いているところには何が入るでしょうか。下から探して○をつけてください。

〈時 間〉　15秒

〈解 答〉　右上（左よりバナナ － ミカン － イチゴとなる）

［2022年度出題］

学習のポイント

系列の問題ですが、三角形になっている分、把握しにくいかもしれません。わかりにくい場合は、三角の頂点を切り離し、直線にして考えてみましょう。直線にすれば左から、バナナ － ミカン － イチゴの順に、右の方へ進んでいくことがわかると思います。混乱しやすい問題ですが、ミカンは常にバナナとイチゴに挟まれていることに気が付けば容易に解ける問題でもあります。この問題のように、普段目にしないパターンはそれだけでも難易度が高く感じられることがよくあります。それを回避するためにも、様々な出題パターンの問題に触れておくことをおすすめいたします。また、このような問題こそ落ち着いて臨むようにしてください。落ち付けば色々な思考を巡らせることができ、正解に近づくことができます。

【おすすめ問題集】
Ｊｒ・ウォッチャー６「系列」

問題42　分野：常識（季節）

〈準 備〉　鉛筆

〈問 題〉　左の物と右の物で、関係のあるものを線で結んでください。

〈時 間〉　15秒

〈解 答〉　①ユリ － ヒマワリ、キク － 七五三、門松 － 飾り餅、お雛様 － モモの花
②節分 － 恵方巻、七夕 － 笹、こいのぼり － 柏餅、クリスマス － トナカイ

［2022年度出題］

近年植物などはハウス栽培になり、季節感がなくなってきています。これを正していくには、図鑑などを利用するのがよいでしょう。また、季節の行事を行っている家庭も少なくなり、普段と同じ生活を送っている家庭が多くなってきているようです。こどもの日には店先に柏餅、菖蒲が出ます。関西では柏餅よりちまきが主に出るようです。柏の葉は子孫繁栄、ちまきは難を逃れる縁起の良いものと伝えられています。季節の行事は、仰々しい行事を行わないまでも、それらしいものを用意したり、本などを利用すれば、関心を持ち知識として残っていくでしょう。ここに描かれてある絵はどれも入学試験ではよく使用されるものばかりです。問題を解き終わったあと、絵を見て名称などを確認しておきましょう。

【おすすめ問題集】
Ｊｒ・ウォッチャー34「季節」

問題43　分野：常識（理科）

〈準備〉　鉛筆

〈問題〉　上の物と下の物で、関係のあるものを線で結んでください。

〈時間〉　20秒

〈解答〉　ソフトクリーム － 牛乳、納豆 － 豆、パン － 麦、ちくわ － 魚

[2022年度出題]

学習のポイント

食べ物の素材の問題です。このような問題は、日常の食事時に話が出て既にご存知のお子さまも多いと思われます。点の取りやすい問題でもあるので、ケアレスミスの無いように注意しましょう。線もしっかり書くように指導してください。普段の食事では、食物の素材を知らずに食べているものがほとんどではないでしょうか。例えばサラダドレッシングはオイル、しょうゆ、塩、コショウ～と大体の原材料はわかりますが、オイルや醤油の原料は、と更に突き詰めた説明をする機会はあまりないかもしれません。身近な食べ物の素材や旬の季節などを大まかに説明するだけでも、お子さまにとっては大いに興味を引かれるのではないでしょうか。こうしたことは学習として行うよりも、買い物に行ったときやお手伝いをしている時の話題としてなど、座学以外の場面で習得するとよいでしょう。その方が楽しく学べると思います。

【おすすめ問題集】
Ｊｒ・ウォッチャー27「理科」、55「理科②」

問題44　分野：常識（マナー）

〈準備〉　鉛筆

〈問題〉　この中で悪いことをしているお友だち全員に、△をつけてください。

〈時間〉　15秒

〈解答〉　省略

[2022年度出題]

学習のポイント

近年、常識問題の出題が全国的に増えています。背景として、コロナ禍によって生活の変化を余儀なくされ、外での生活体験活動が減少していることがあります。実体験が乏しい中で公共のマナーやルールをご指導されるのは大変なことと存じますが、入学後の共同生活において、マナーの習得は必要不可欠です。このような問題は、ご家庭でしっかりとマナーをご指導されているかどうかを見極める出題と取ることもできます。今回は図書館内での行動でしたが、大声で騒いだり、その場に相応しくない行動が判断できるかどうかは、今後の生活の中で必ず役に立ちますので、しっかりとご指導してください。そして、なぜ△をつけたのか、理由を聞いてください。電車内、お店の中、道路など、マナーを必要とするところはまだまだありますから、ぜひお子さまとチェックしてみてください。また、保護者の方はスマートフォンの扱いには十分気をつけてください。お子さまはまだ小さく、判断も付きにくい年齢です。ましてご自身のスマートフォンなどは持っておられないでしょう。電車内で通話をしている母親を描いてもおかしいと思うお子さまは少数です。この原因をみなさんはどのように考えますか。

【おすすめ問題集】

Ｊｒ・ウォッチャー56「マナーとルール」

問題45　分野：図形（模倣積み木）

〈準備〉　積み木

〈問題〉　ここにある積み木を、この絵と同じように積んでください。終わったら手を挙げてください。

〈時間〉　30秒

〈解答〉　省略

[2022年度出題]

学習のポイント

日頃から積み木遊びなどに慣れていないと、平面図（イラスト）を模倣して積み木を組み立てるのは難しく感じられるかもしれません。理由としては、イラストでは見えない部分を認識しにくいからです。お子さまが戸惑うようであれば、イラストを拡大してみてください。日頃積み木などの具体物で遊んでいると、高さの違いに気が付くはずです。まずはお子さまに積ませてみて、絵と同じかどうかを１箇所、１箇所確認してみましょう。そして、イラストと違うところはどうなっているのかを検証してください。こうした地道な作業を行うことで、見えない積み木の存在を知ることができます。積み木の問題の基本の形は下４つ上４つ、計８個の積み木を使用した立法体になります。この形をしっかりと理解しましょう。そうすれば、見えない積み木の存在を把握したり、積み木の絵と比較して、頭の中で変形させることで理解することができます。

【おすすめ問題集】

Ｊｒ・ウォッチャー53「四方からの観察　積み木編」

問題46　分野：巧緻性（絵画制作）

〈準備〉　折り紙（色は自由）、Ｂ４の画用紙、クレヨン、のり

〈問題〉　**この問題の絵はありません。**
好きな色の折り紙で△を折って画用紙に貼ってください。空いているところに、お友達と公園で遊んでいる絵を描いてください。

〈時間〉　適宜

〈解答〉　省略

［2022年度出題］

学習のポイント

問題の意図はわかっていたでしょうか。△に折った折り紙の貼る位置によって、絵が描きにくくなる可能性があります。当校ではそのあたりも観察の視野に入っているものと思われます。話をきちんと聞いていれば、貼った後に絵を描く課題であることが頭にあるはずです。しっかり見ておいてください。また、貼った△を利用している絵になっているか、ただ貼りっぱなしになっているかで、試験官の評価も変わってくるでしょう。三角の折り方も、しっかり確認しておきましょう。描いた絵が上手かどうかよりも、描いているときの態度、道具の使い方、後かたづけなどの行動が重要視されています。しかし、もちろん絵を全く評価しないわけではありません。絵の方では、アイディアなどを評価されているでしょう。指示内容の複雑さを鑑みると、お子さまの対応力も評価されているものと思われます。

【おすすめ問題集】

Ｊｒ・ウォッチャー22「想像画」、23「切る・塗る・貼る」、24「絵画」

問題47　分野：運動

〈準　備〉　跳び箱

〈問　題〉　**この問題の絵はありません。**
①今から言う通りにしてください。その場所で手を大きく振って行進します。
②私がやる体操を一緒にやりましょう。初めはお手本を示しますので、続いて一緒にやってください。
・ラジオ体操第一を、モニターを見ながら行う。
③跳び箱にあがって、ジャンプで降りてください。

〈時　間〉　適宜

〈解　答〉　省略

［2022年度出題］

学習のポイント

うまくできたかどうかも観察されているのはもちろんでしょうが、先生の話をしっかり聞いて行動しているか、先生の話を理解しているか、お手本をしっかり見ているか、やっているとき、待っているときの態度、などの行動を観察されているでしょう。体操もうまくやれるに越したことはありません。このような行動は生活の中で身につけることです。お子さまを通して、家庭教育もしっかり観られているものと考えましょう。運動テストというと、保護者の方は実技の方ばかりに意識が集中してしまうようですが、案外、待っているときの態度で大きな差がついていることはご存じでしょうか。例えば待つという行動１つ取ってみても、最初に終わったお子さまと、最後に終わったお子さまとでは、待つ時間は同じでも緊張感の流れは全く違います。前者は緊張感を保つことが難しいでしょうから、待つにしてもかなりの集中力が求められます。こういったことも想定して、待つ練習も取り入れてみてください。

【おすすめ問題集】
Ｊｒ・ウォッチャー28「運動」、29「行動観察」、新運動テスト問題集

問題48　分野：行動観察

〈準　備〉　フリスビー（この問題は複数人で行う）

〈問　題〉　**この問題の絵はありません。**
①同じ人数で２組に分かれてください。これから、どんじゃんけんをします。負けた人は列の一番後ろに並んでください。
②先生にフリスビーを投げてください。終わったら列の後ろで三角座りをして待っていてください。

〈時　間〉　適宜

〈解　答〉　省略

［2022年度出題］

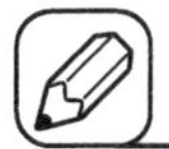

学習のポイント

ドンじゃんけんやフリスビー投げも日頃の態度が出るゲームです。多人数でやるゲームは、特に負けたときやうまく飛ばなかったとき、ほかのお友達ができたとき、様々な態度がよく現れます。うまくできたから点数がよいのではなく、意欲的に、楽しく、マナーを守り協調性をもって取り組むことが求められる問題です。これもまた、家庭教育の観察と思っても過言ではありません。体を動かすことは、お子さまの学習にも効果的です。思いきり体を動かすことでストレスが発散され、集中力が増すと言われています。こうしたゲームのような内容は、学習というよりも、休憩や遊びとして取り入れると良いと思います。そして、ただやるだけでなく、自分たちでルールを決め、守ることも取り入れてみてはいかがでしょう。何よりも楽しく行うことが重要です。

【おすすめ問題集】
Ｊｒ・ウォッチャー29「行動観察」

問題49　分野：保護者面接

〈準備〉　なし

〈問題〉　**この問題の絵はありません。**
・この学校を志願された理由をお聞かせください。
・将来お子さんにはどのような人になってほしいとお考えですか。
・お子さんの性格で長所と短所をお聞かせください。

〈時間〉　適宜

〈解答〉　省略

［2022年度出題］

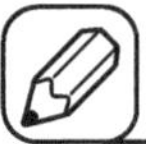

学習のポイント

目的や考えがあって志願したのか、何となくの志願なのか、ご家庭でよく話し合っておくことをおすすめします。問題の全体を通して見る限り、家庭環境や家庭教育をしっかり評価されていると考えられます。これは入学してから、本人やほかのお友だちにもにも大きく影響するからです。面接は、１つの質問から類似した質問に続くことが多いようです。保護者面接対策なら「保護者のための面接最強マニュアル」を、お子さまの面接対策なら「家庭で行う面接テスト問題集」をご利用ください。試験官の視点からの詳細なアドバイスは、入試対策に大いに役立つと思います。できるだけ多くのアドバイスを掲載しておりますので、しっかりとした対策が可能です。ぜひ、両書籍をご利用ください。

【おすすめ問題集】
新 小学校受験の入試面接Ｑ＆Ａ、保護者のための面接最強マニュアル

☆ノートルダム清心女子大学附属小学校

問題１－１

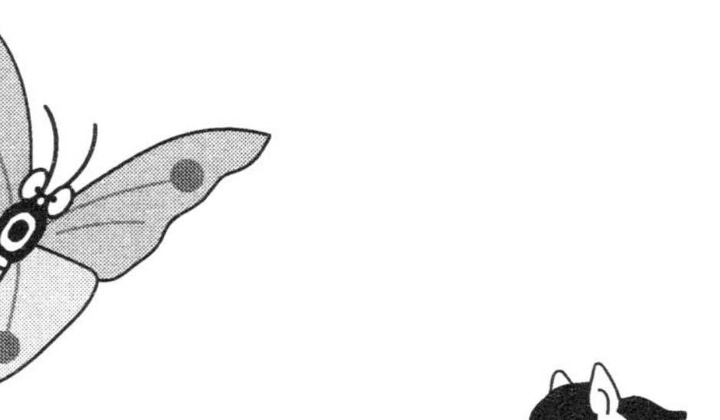

問題１－２

日本学習図書株式会社

☆ノートルダム清心女子大学附属小学校

問題２

①

②

③

☆ノートルダム清心女子大学附属小学校

問題３－１

①

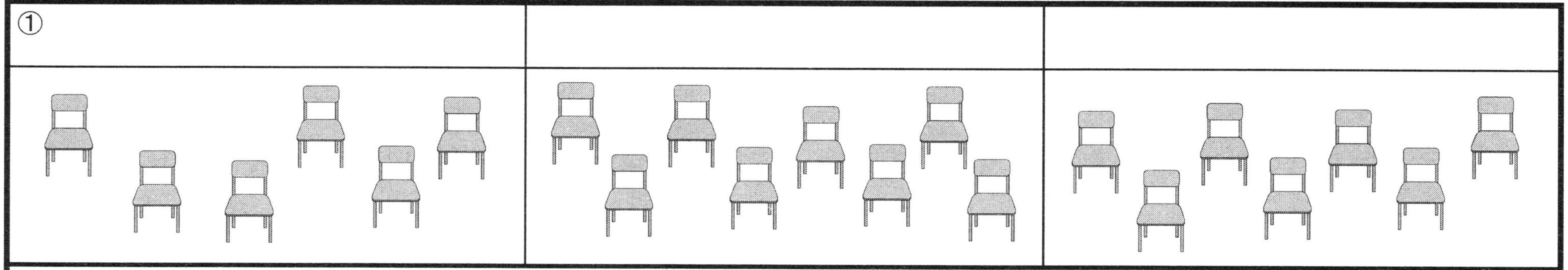

②

③

④

日本学習図書株式会社

問題３－２

⑤

日本学習図書株式会社

問題3－3

⑥

⑦

⑧

問題4

問題5－1

①

問題5－2

②

☆ノートルダム清心女子大学附属小学校

問題6－1

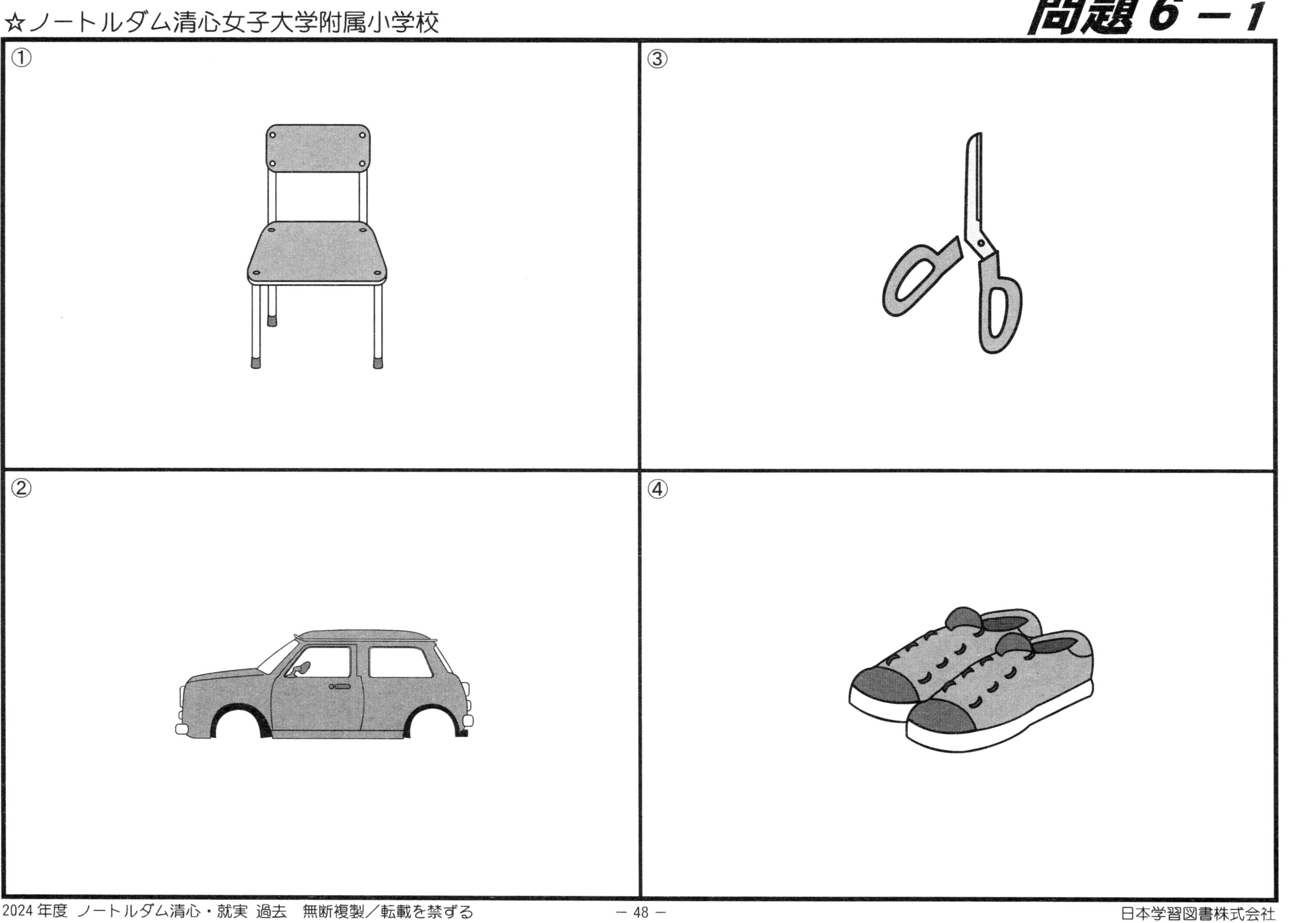

問題6－2

⑤	⑦
⑥	⑧

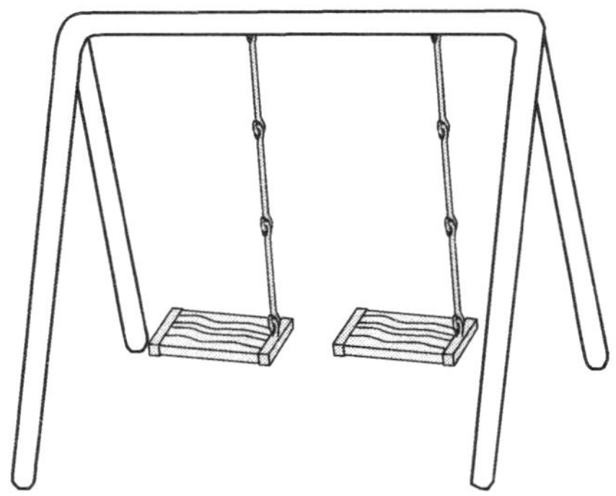

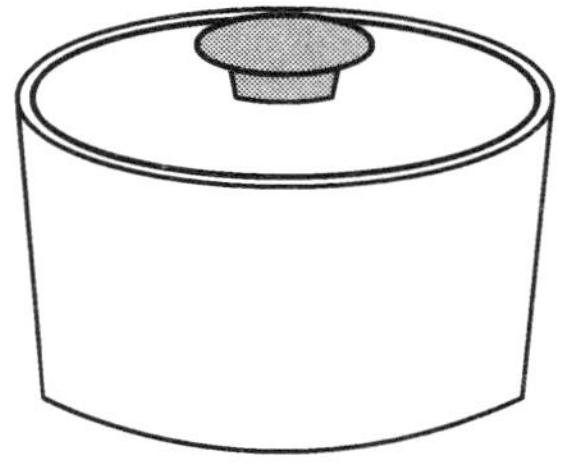

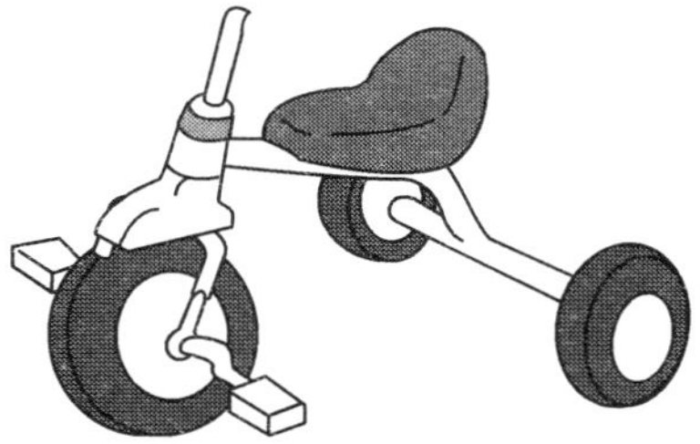

問題7

☆ノートルダム清心女子大学附属小学校

問題 8

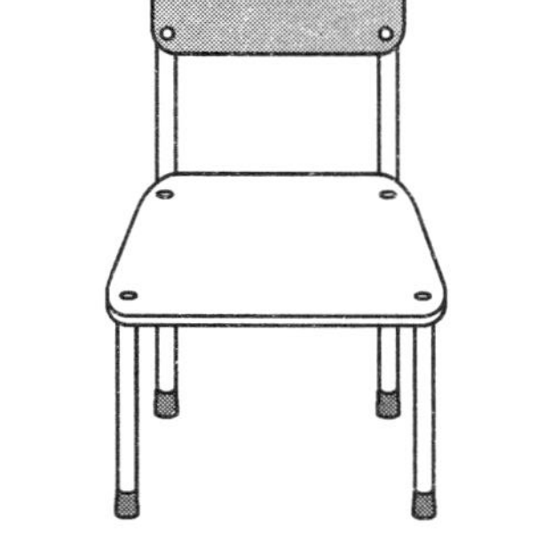
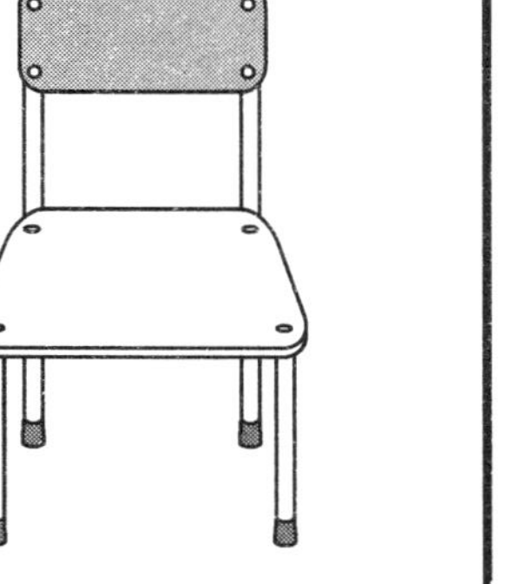
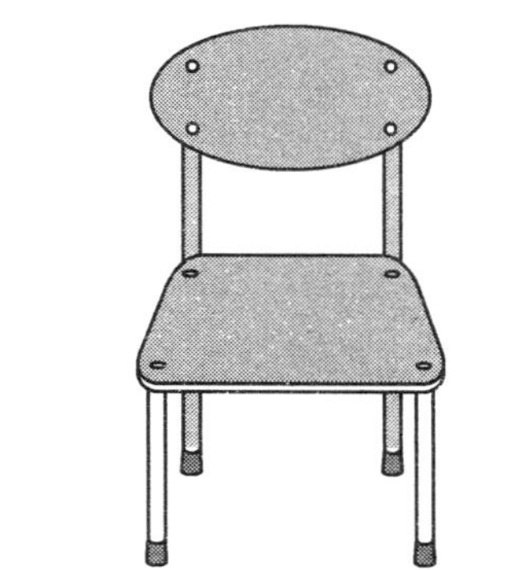
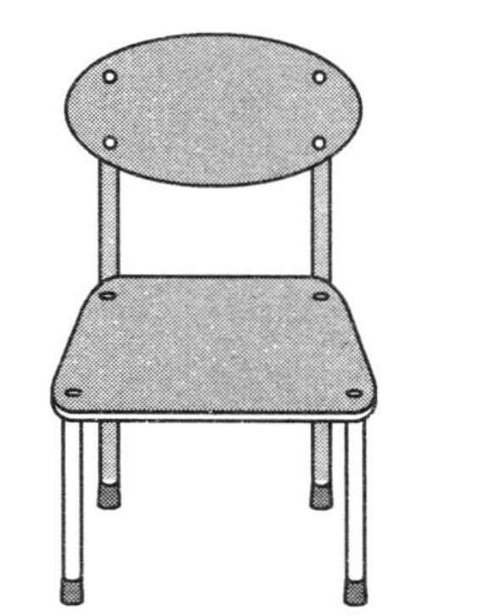
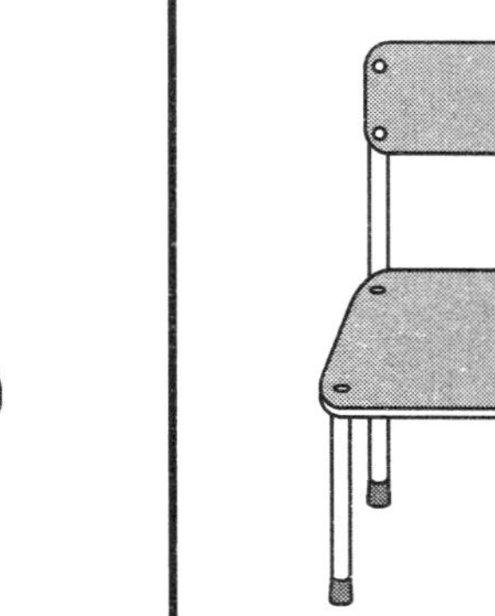
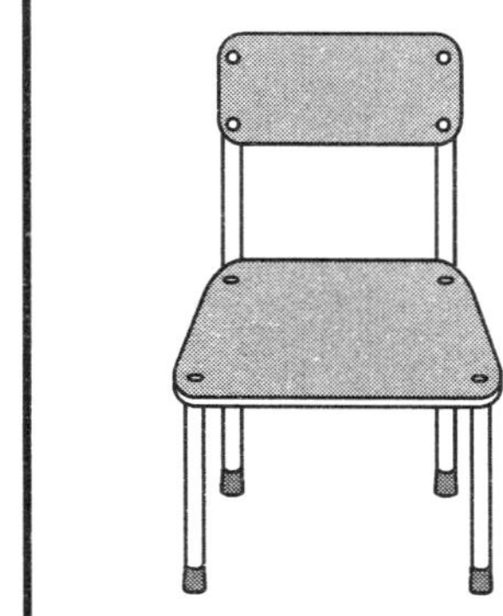
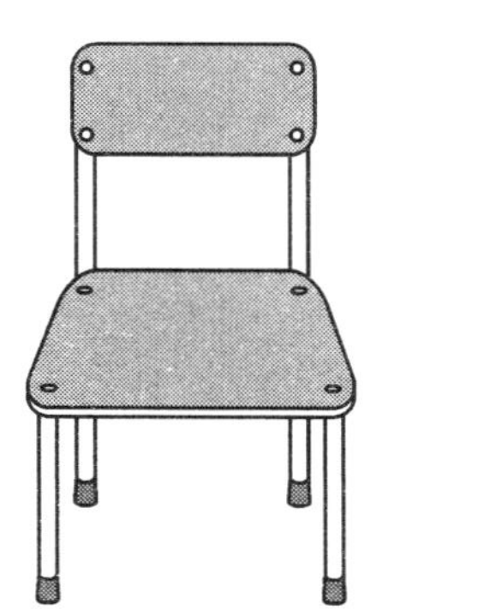
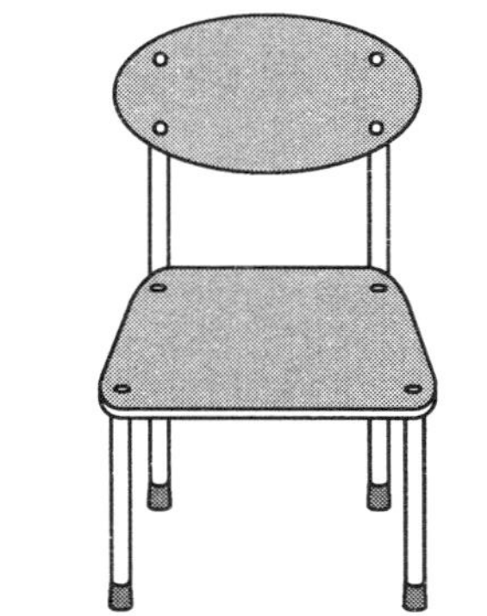
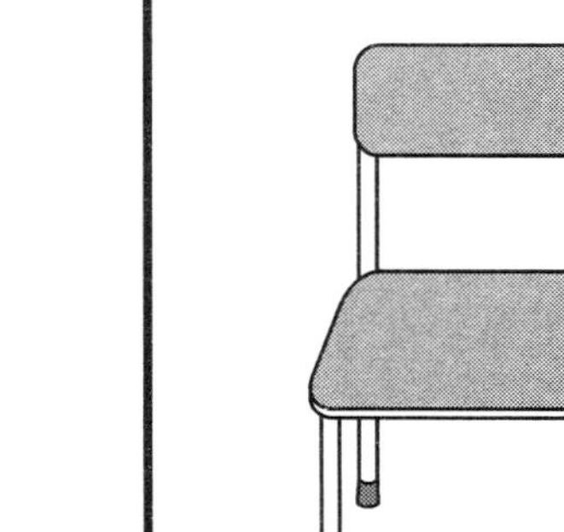

問題１２

問題１３－１

問題１３－２

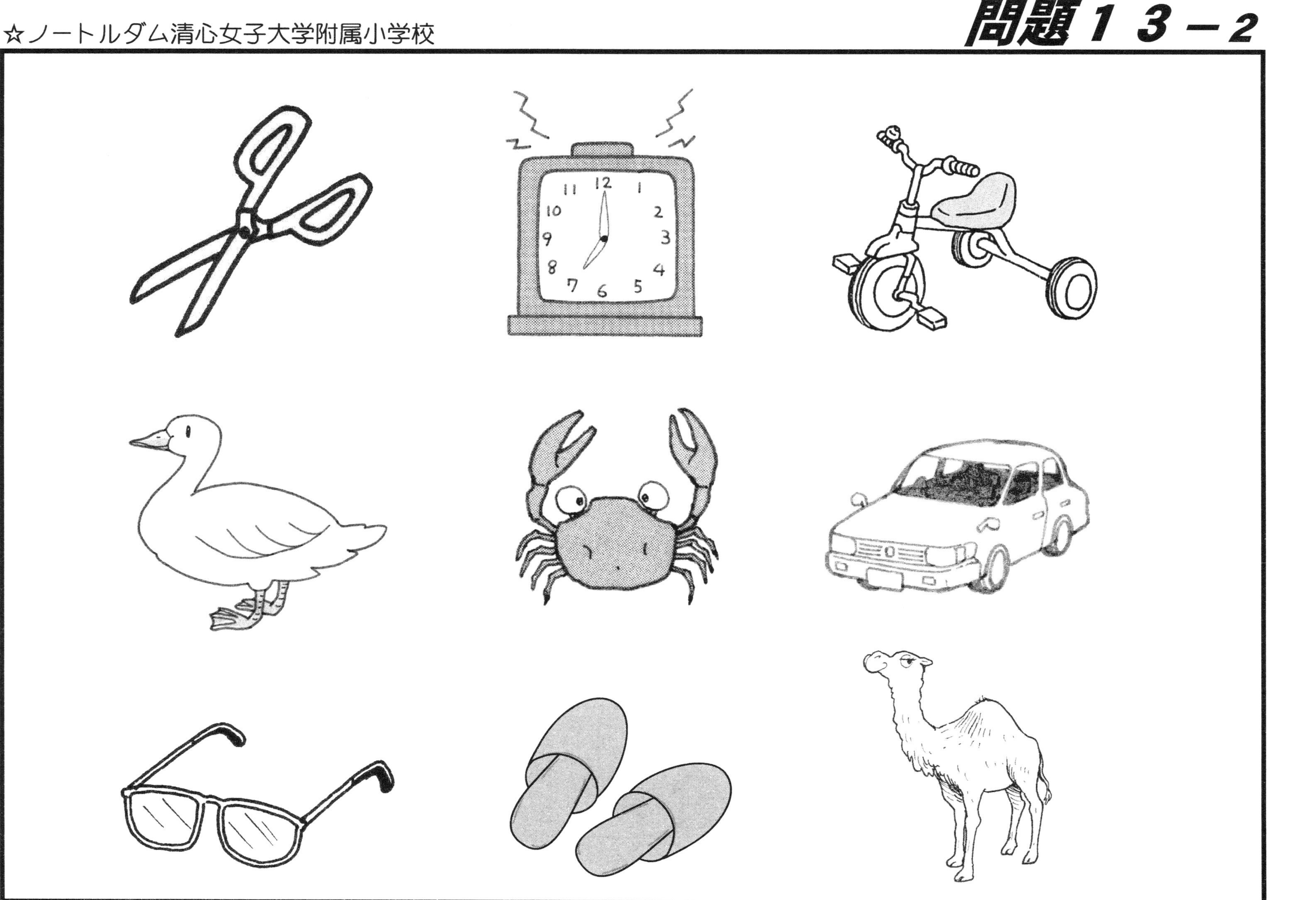

問題14

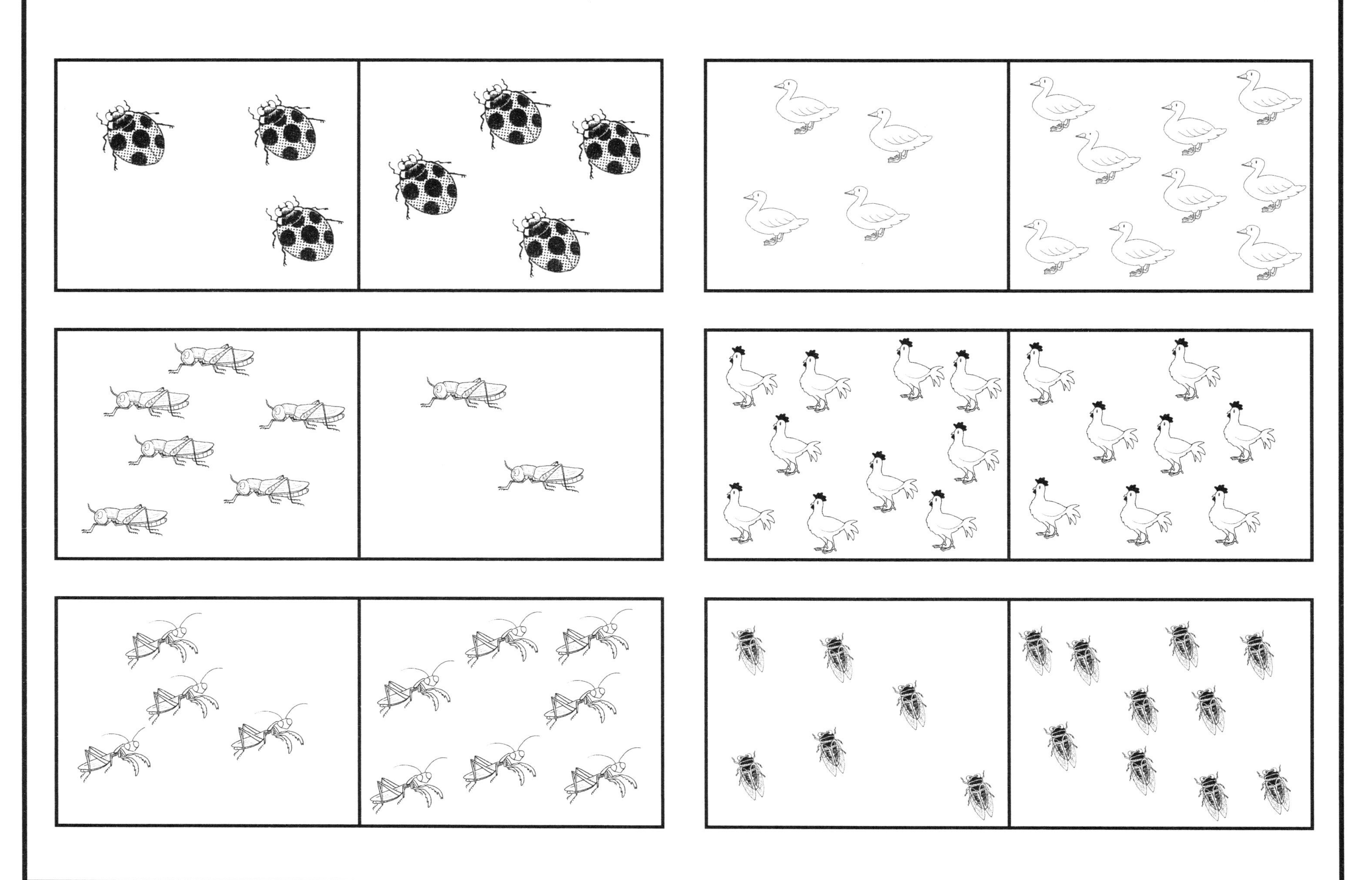

日本学習図書株式会社

問題15

①

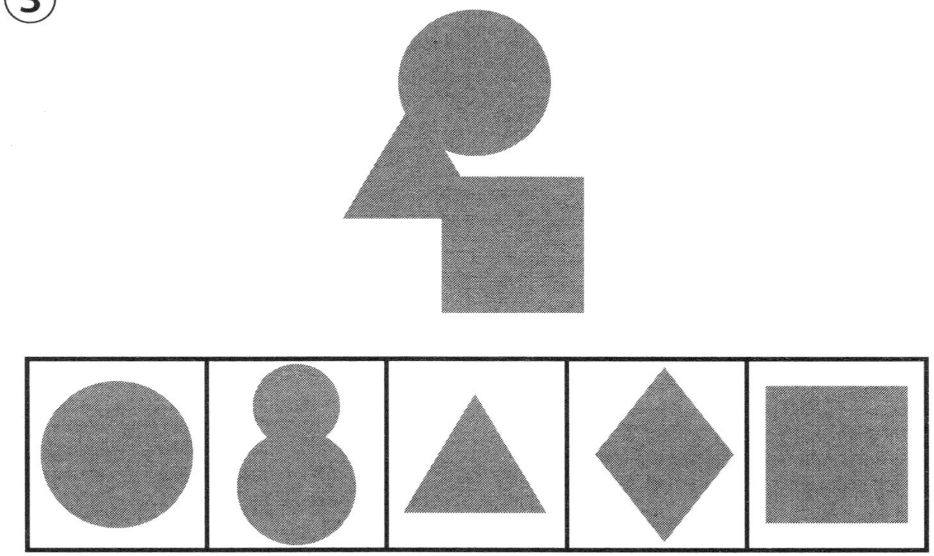

②

③

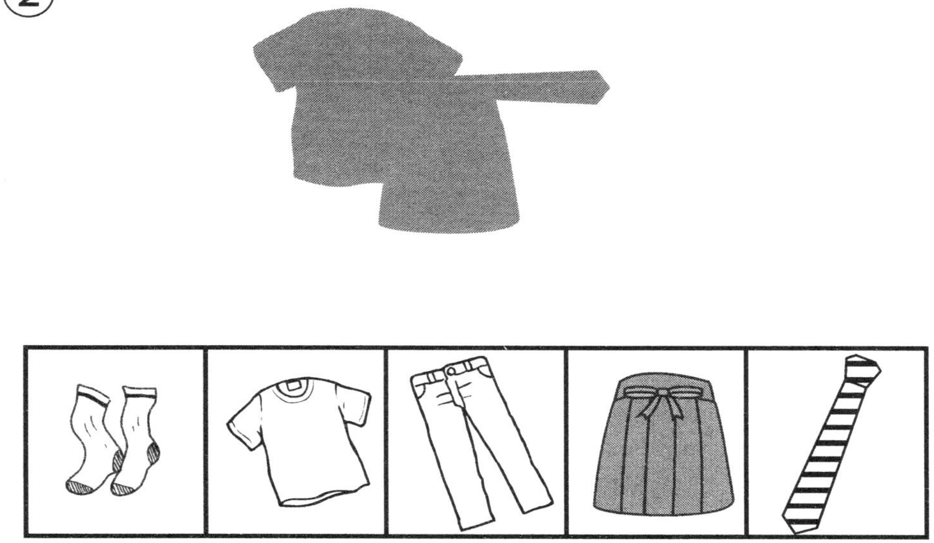

④

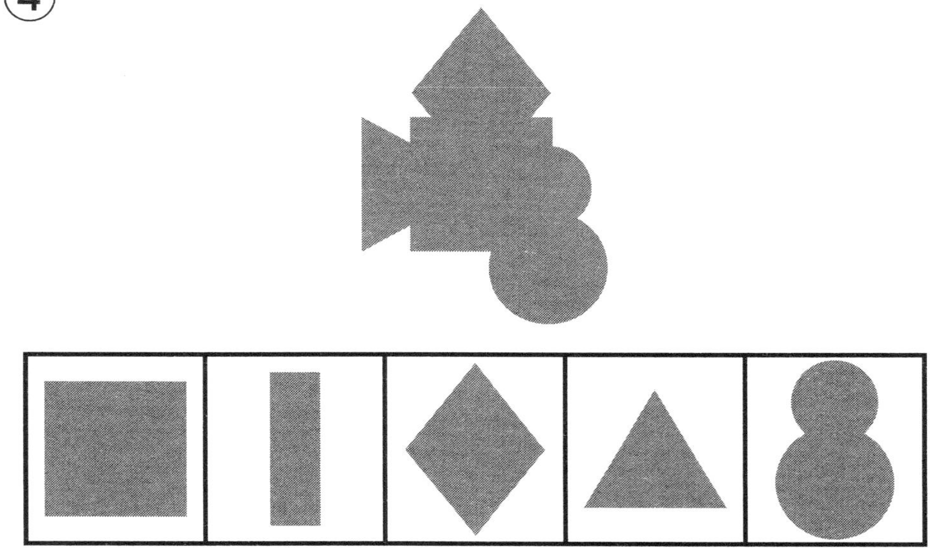

☆ノートルダム清心女子大学附属小学校

問題１６

①

②

③

④

日本学習図書株式会社

問題１７

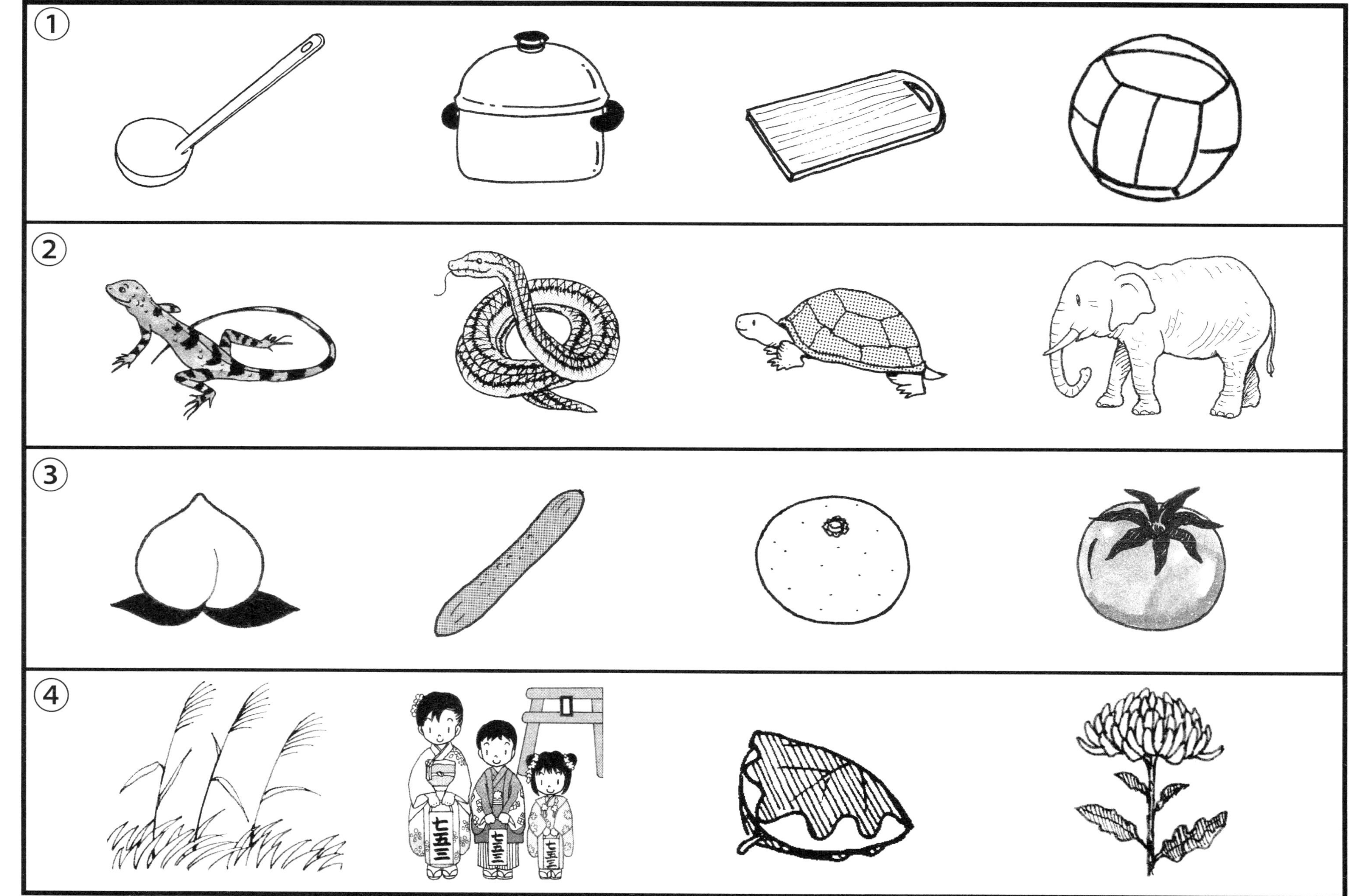

☆就実小学校

問題２１

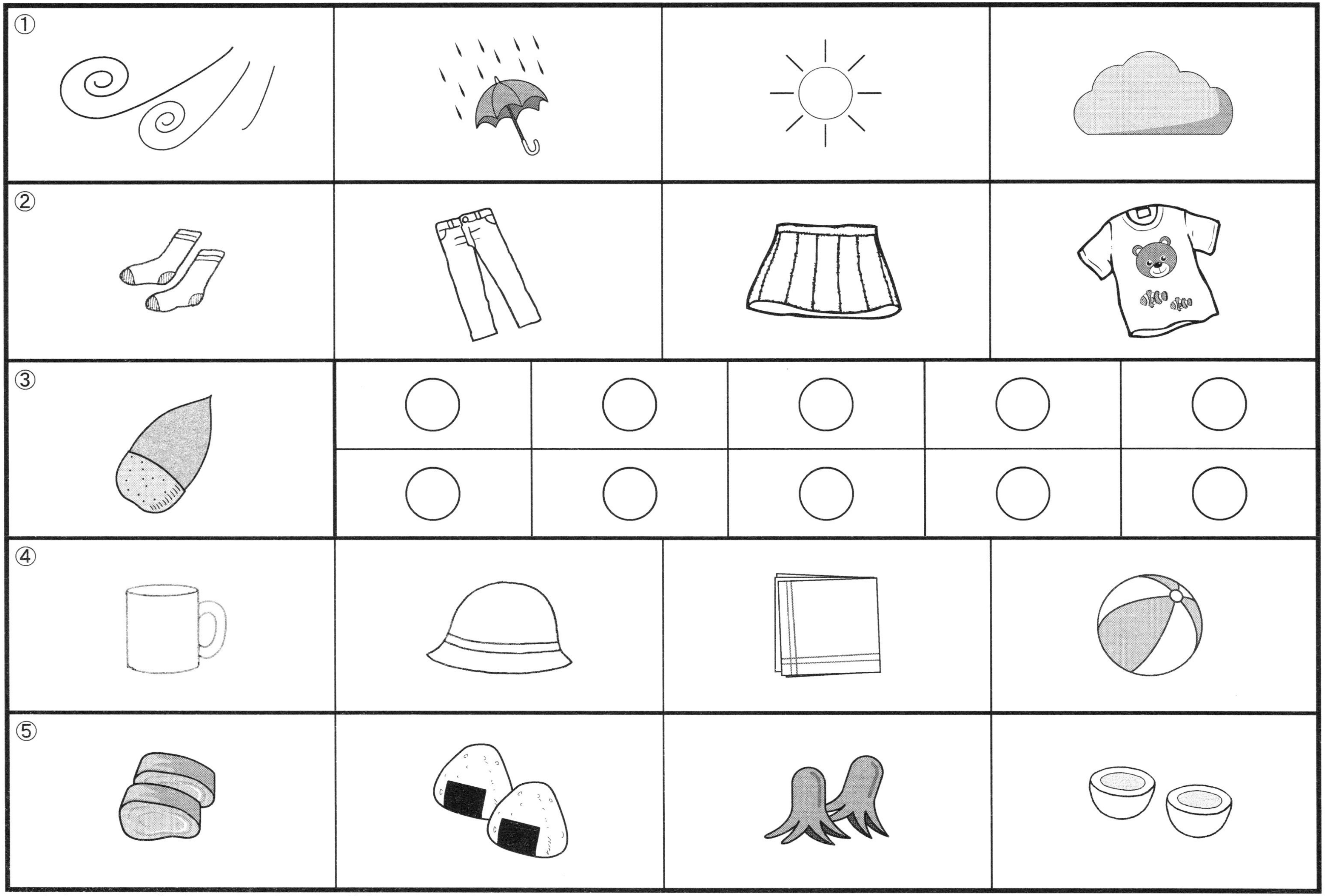

①

②

③

④

⑤

☆就実小学校

問題22－1

①

日本学習図書株式会社

☆就実小学校

問題22－2

②

☆就実小学校

問題22－3

③

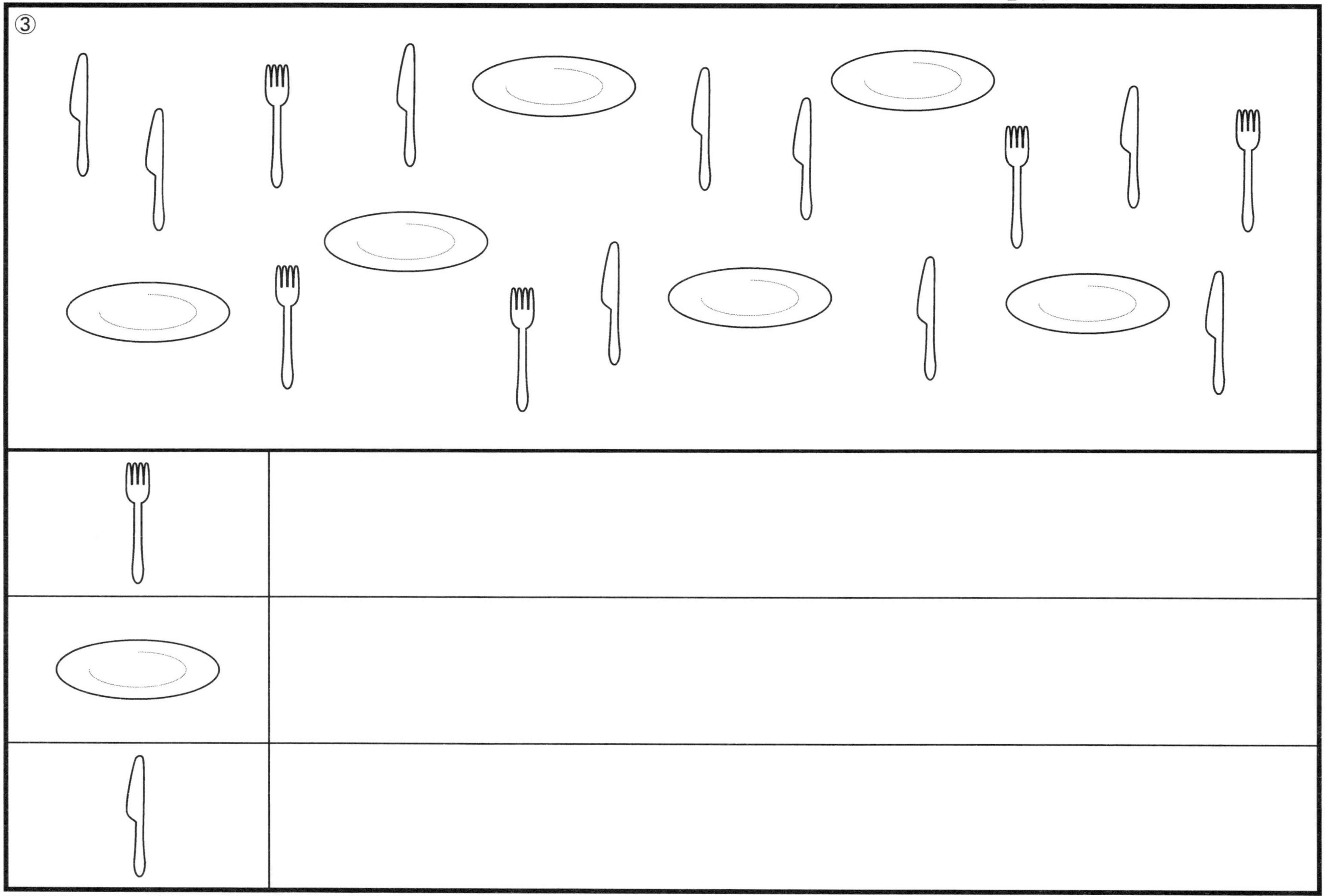

問題２３－１

①

②

日本学習図書株式会社

☆就実小学校

問題23－2

③

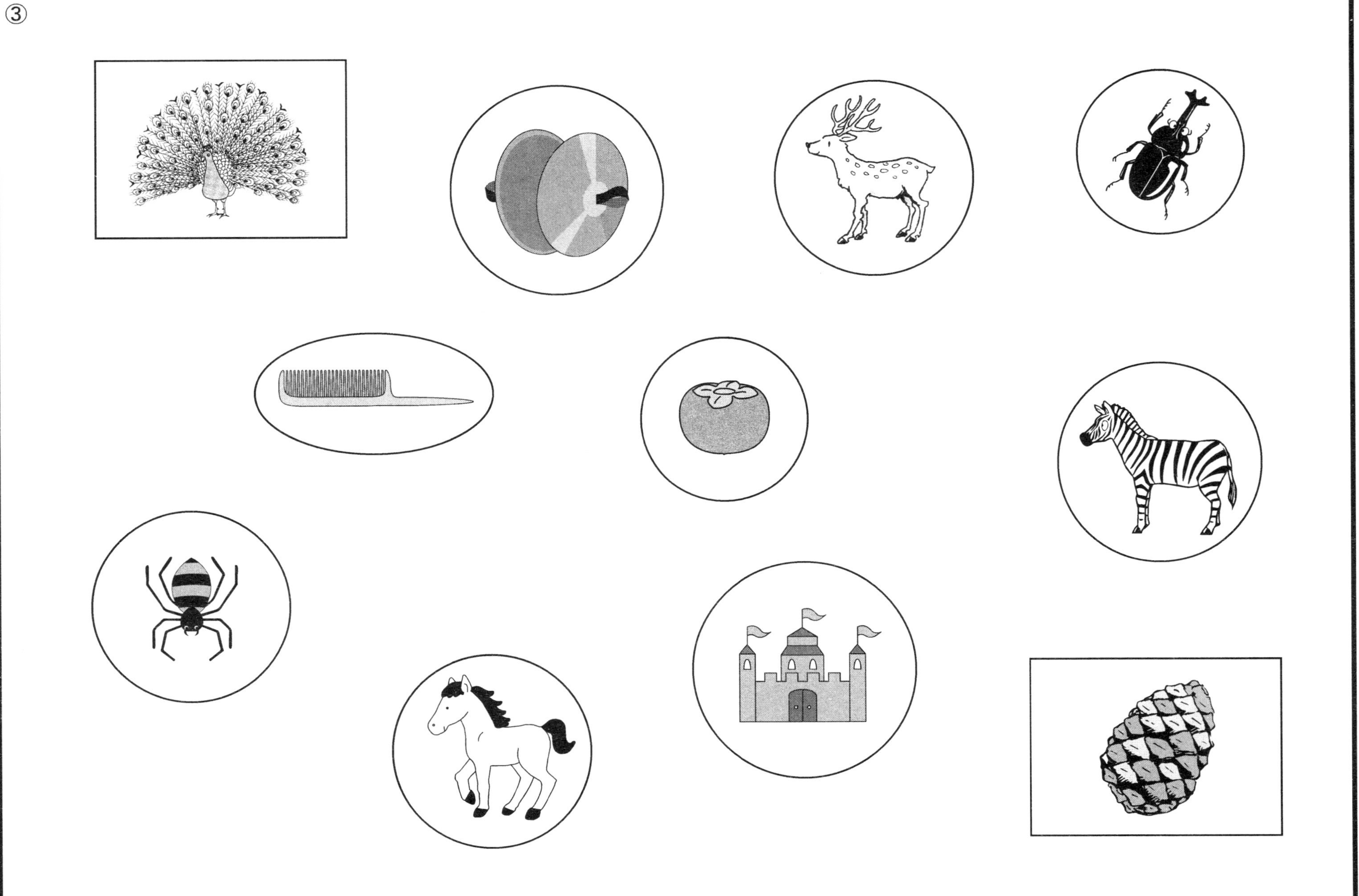

問題２４－１

①

☆就実小学校

問題24－2

②

①

問題25－2

②

＝

＝

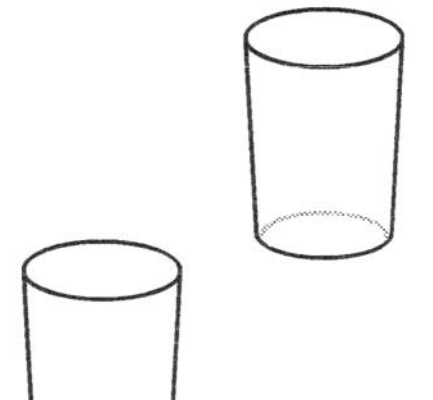

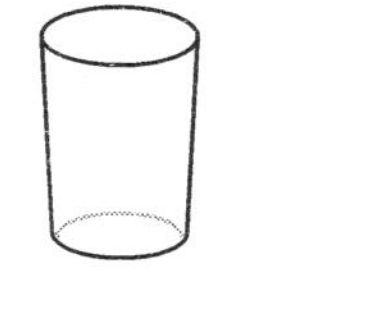

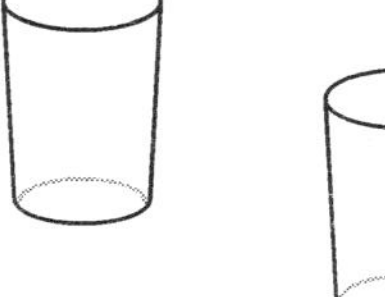

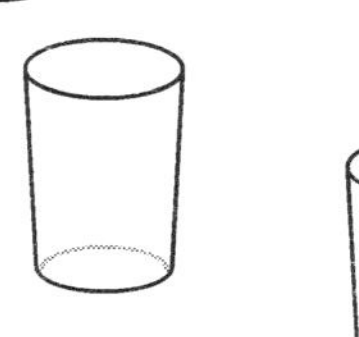

☆就実小学校

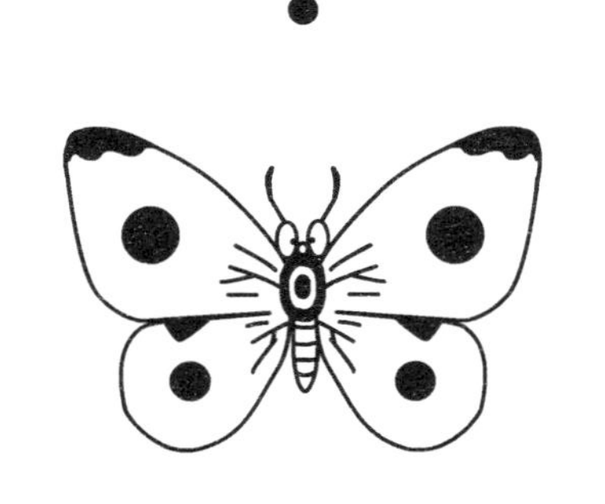
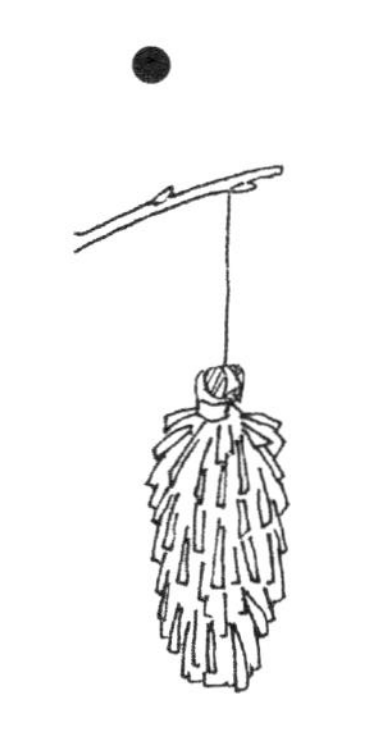

問題２７

日本学習図書株式会社

☆就実小学校

問題２８

問題２９

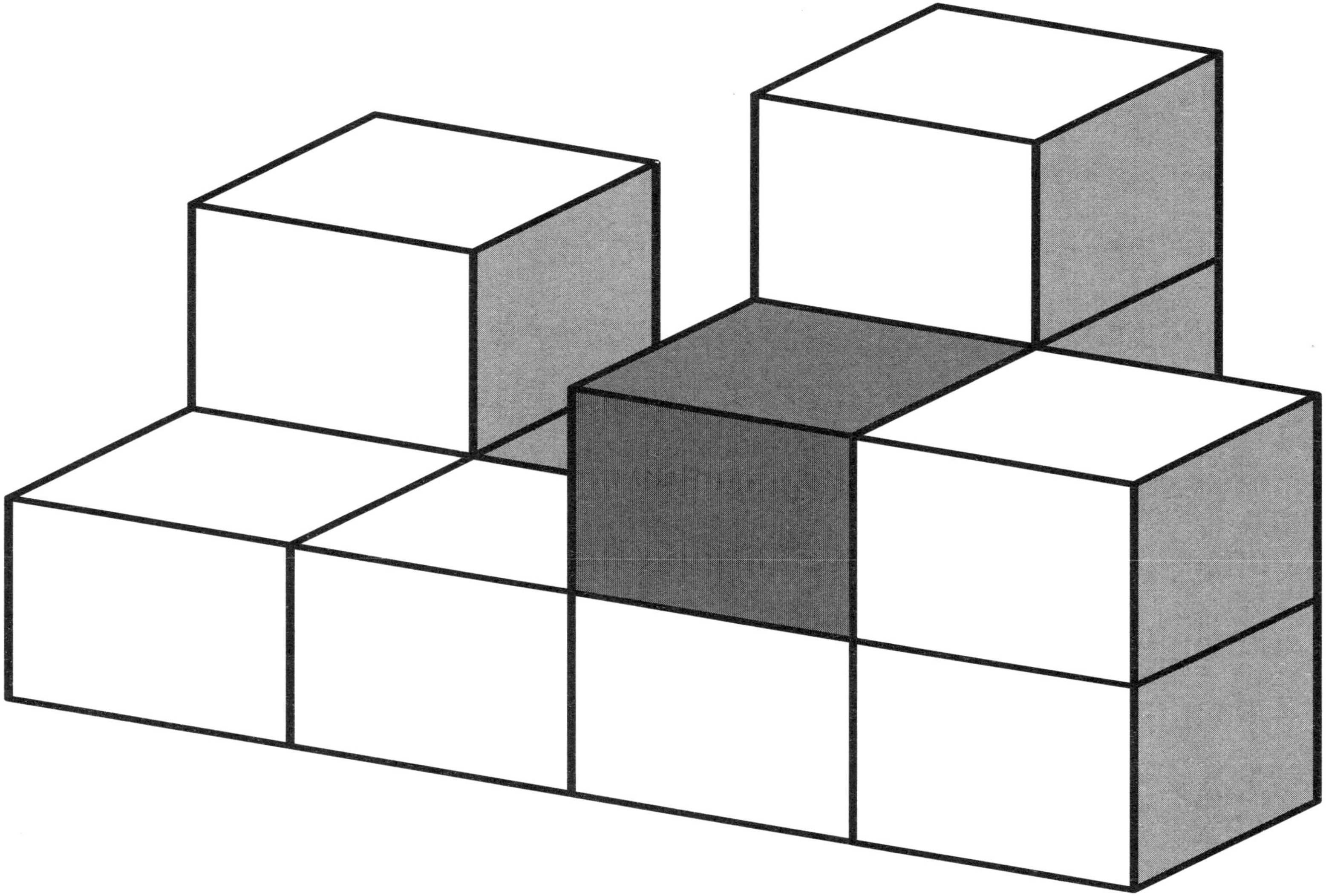

問題３０

茶色の色画用紙

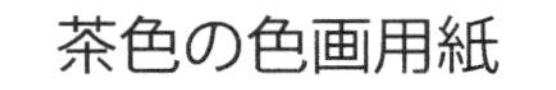

黄色の色画用紙

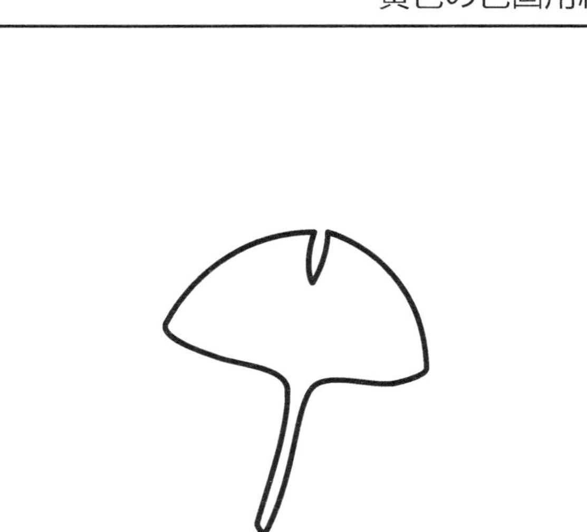

☆就実小学校

問題３４

①

②

③

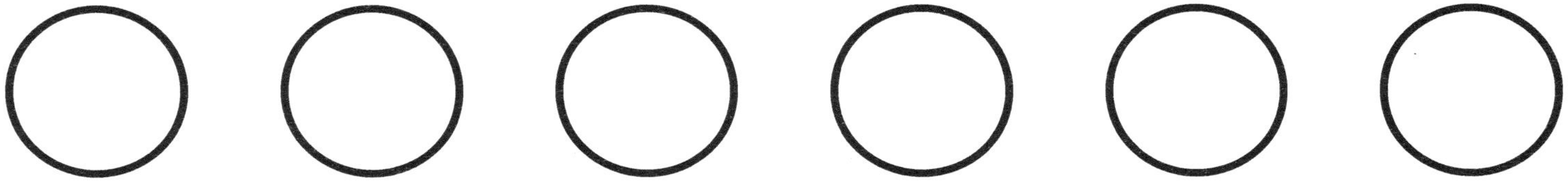

④

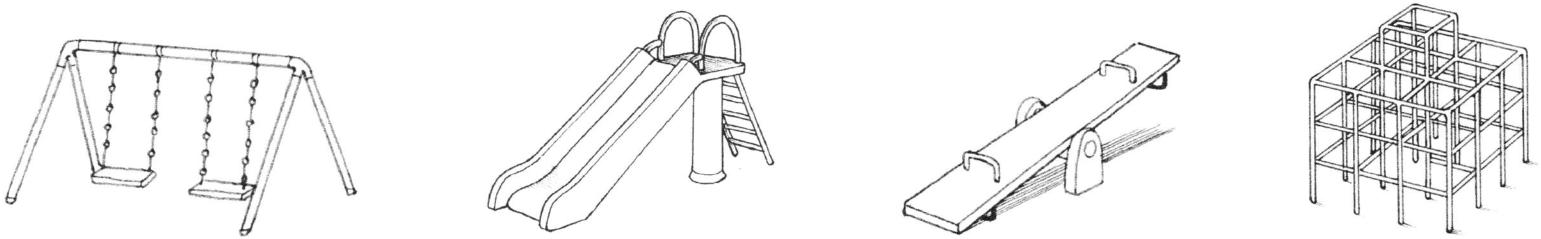

⑤

☆就実小学校

問題３５

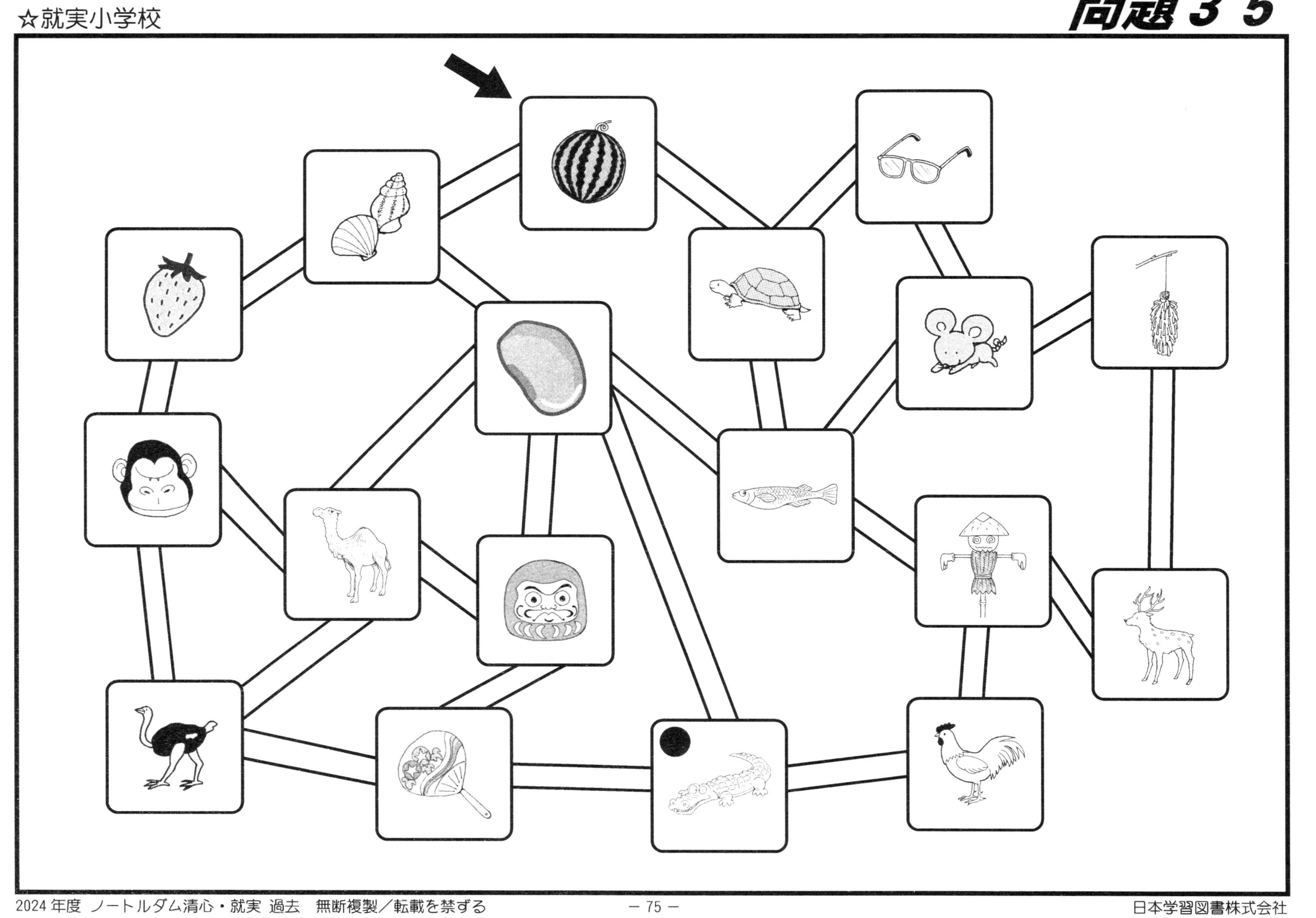

☆就実小学校

問題３６

①

②

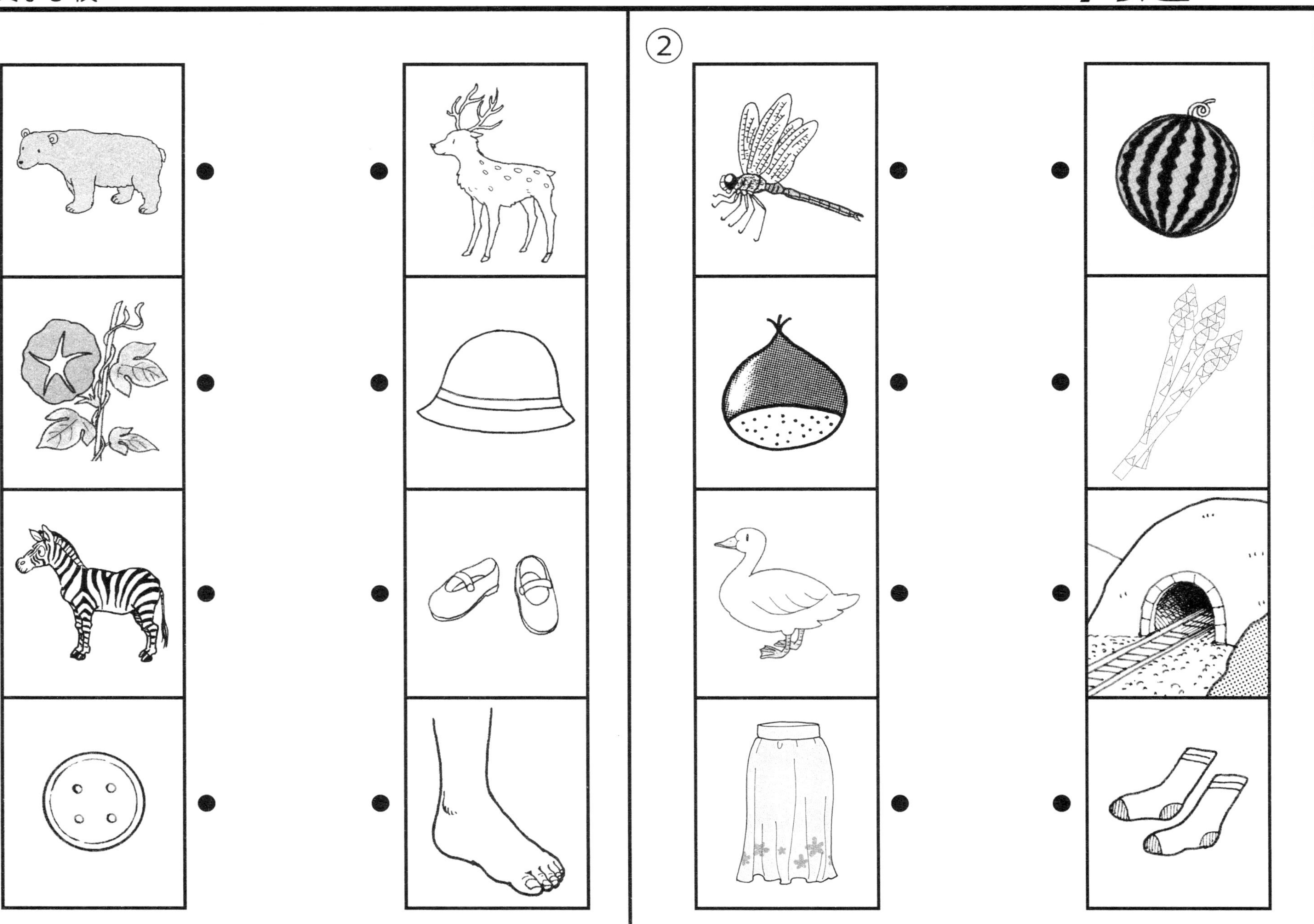

問題37

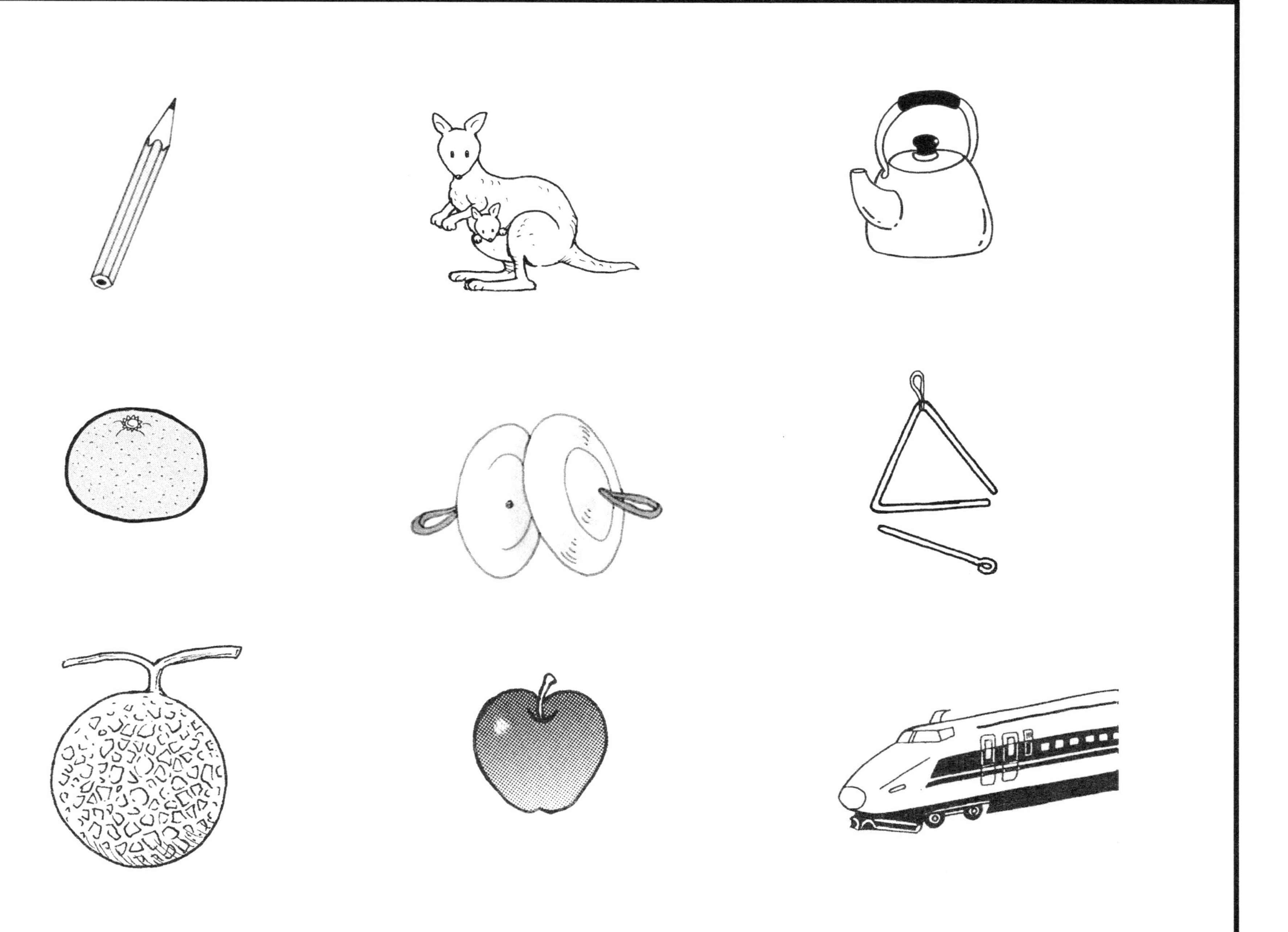

問題３８

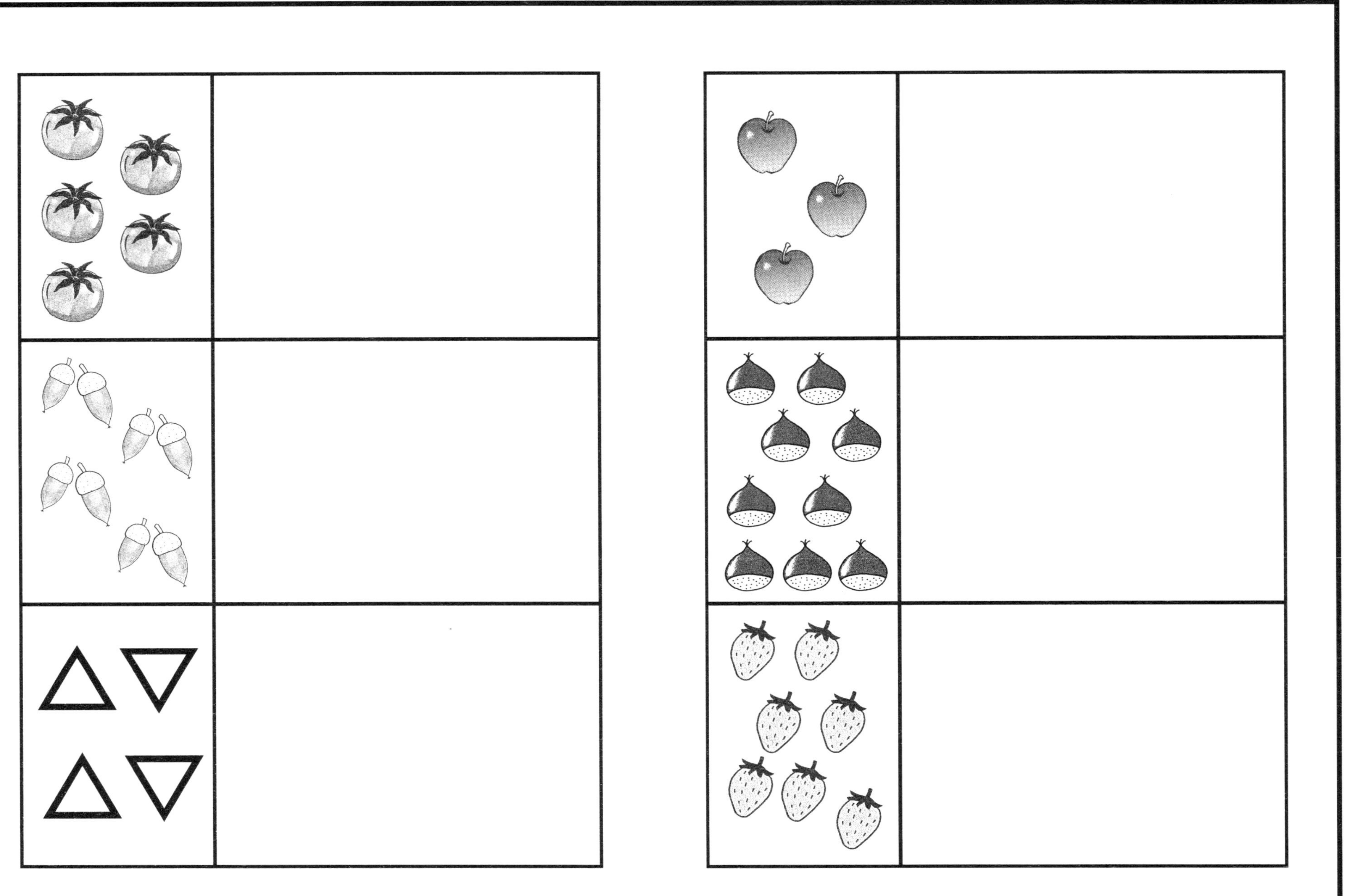

日本学習図書株式会社

☆就実小学校

問題３９

☆就実小学校

問題40－1

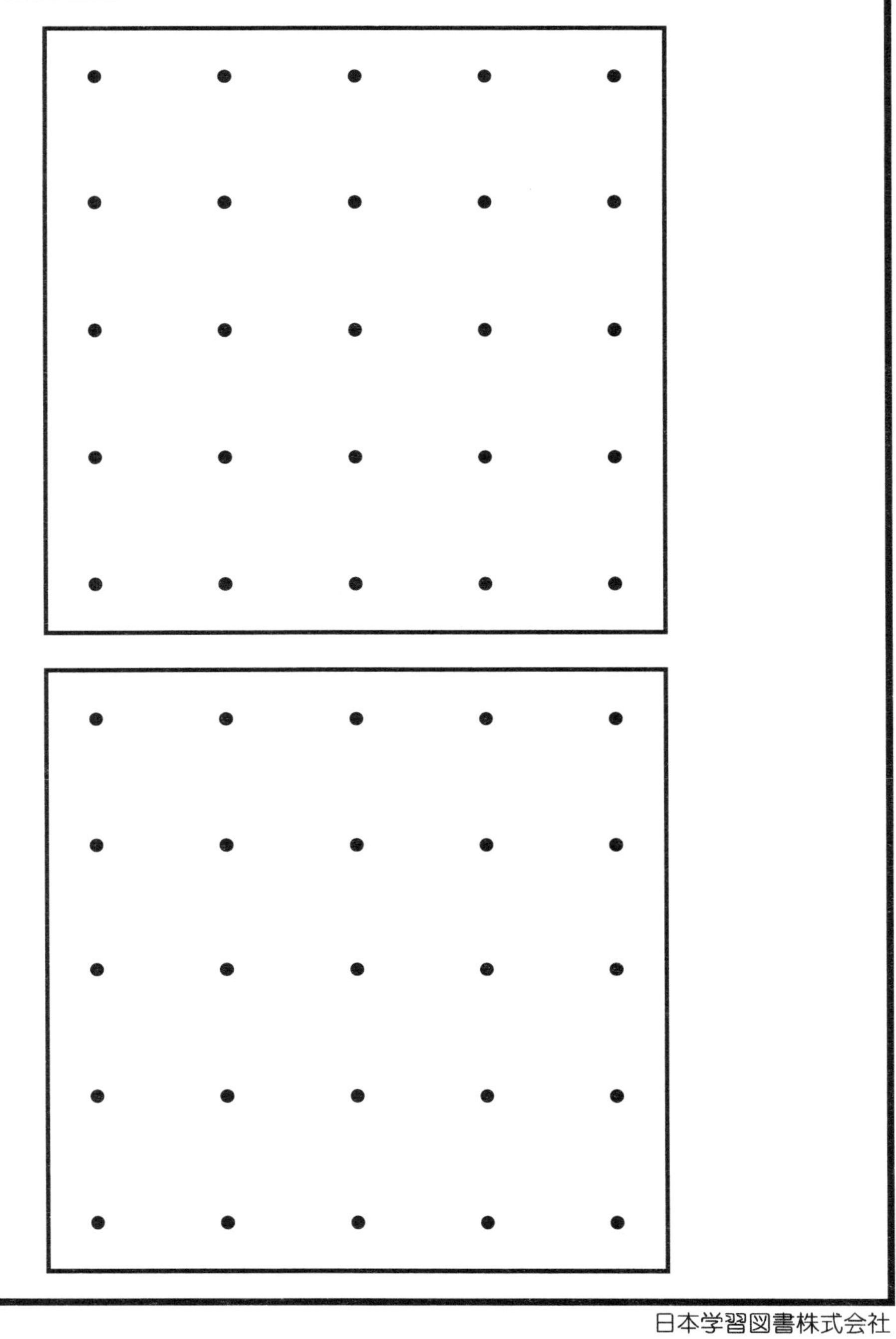

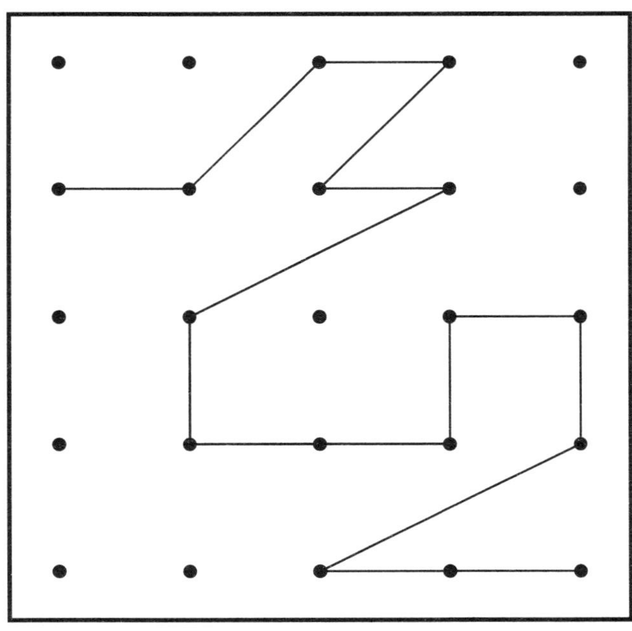

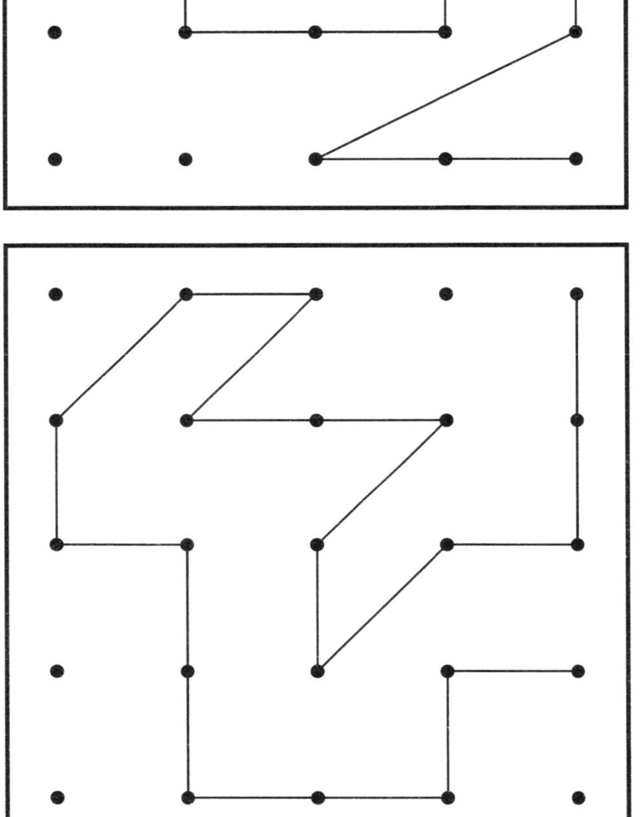

問題４０－２

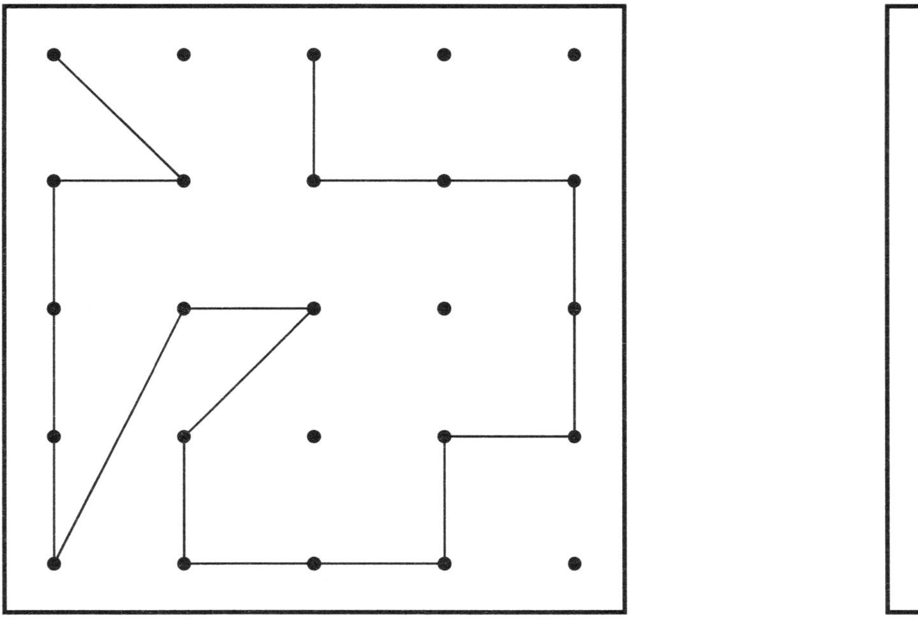

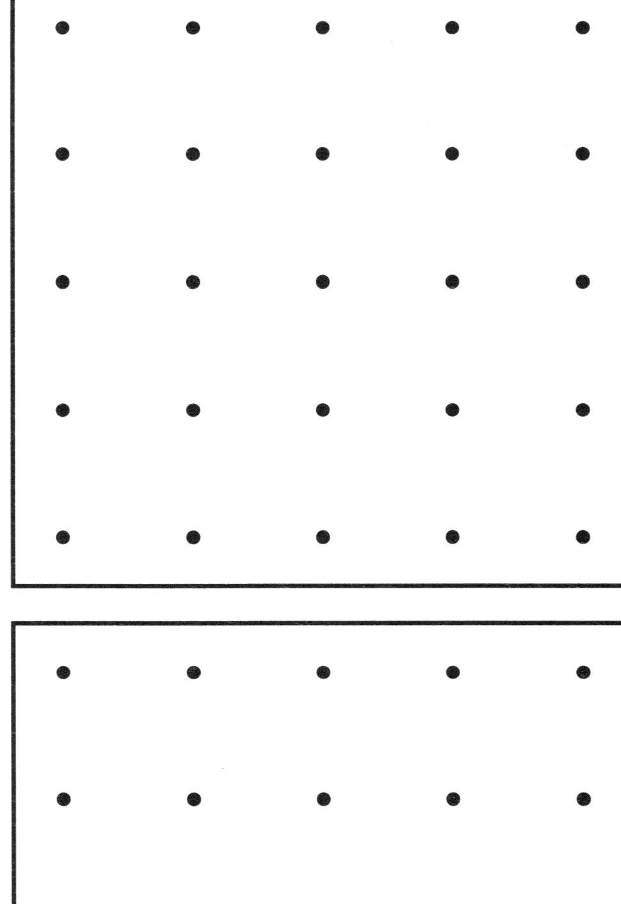

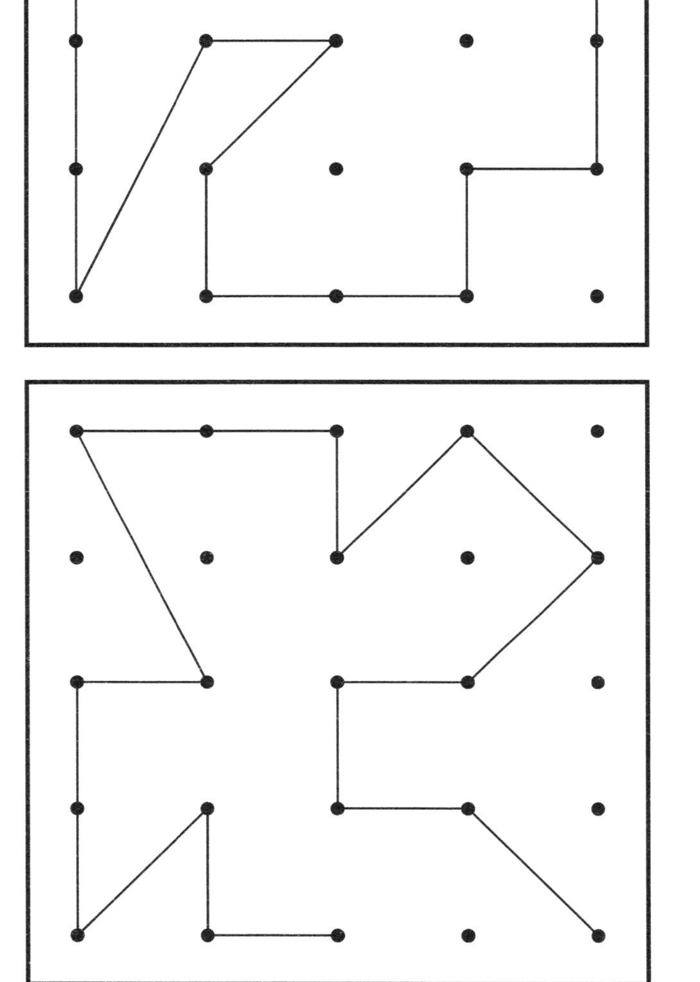

☆就実小学校

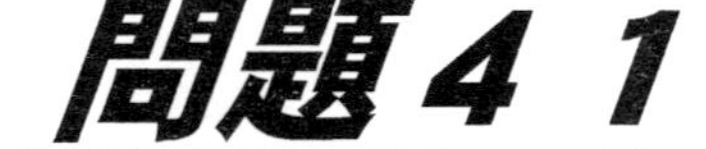

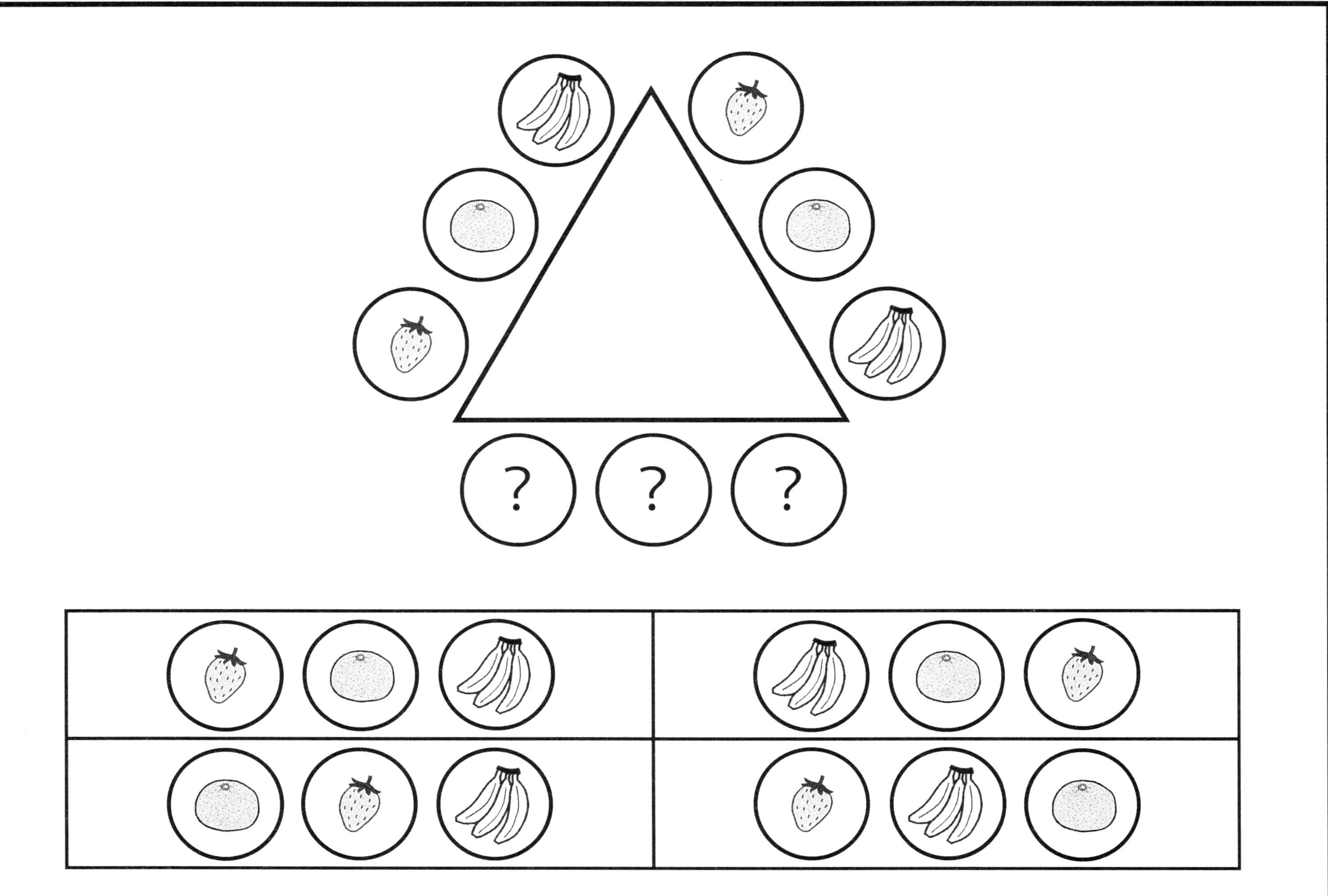

日本学習図書株式会社

☆就実小学校

問題４２

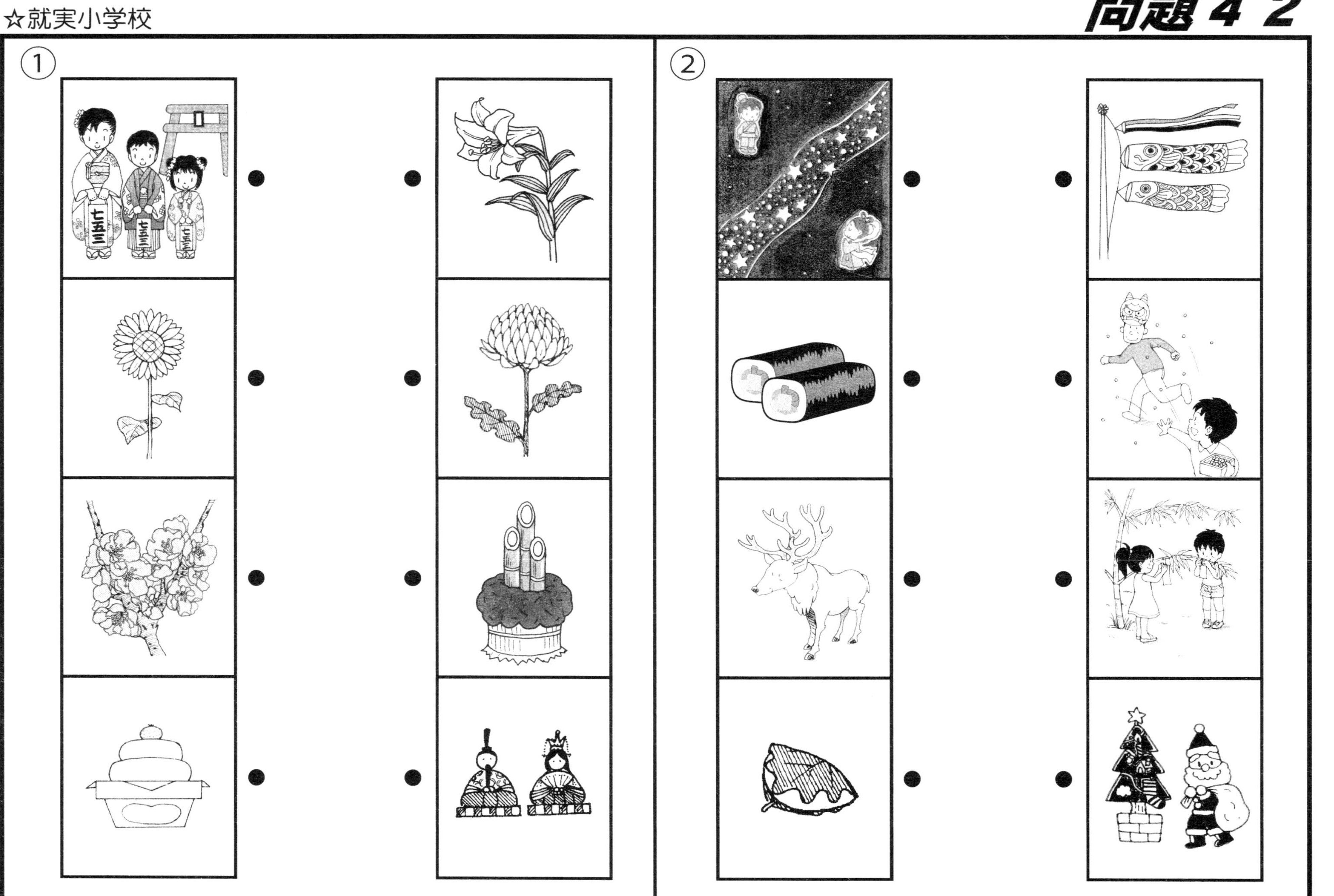

日本学習図書株式会社

問題４３

MILK

日本学習図書株式会社

☆就実小学校

問題４４

問題４５

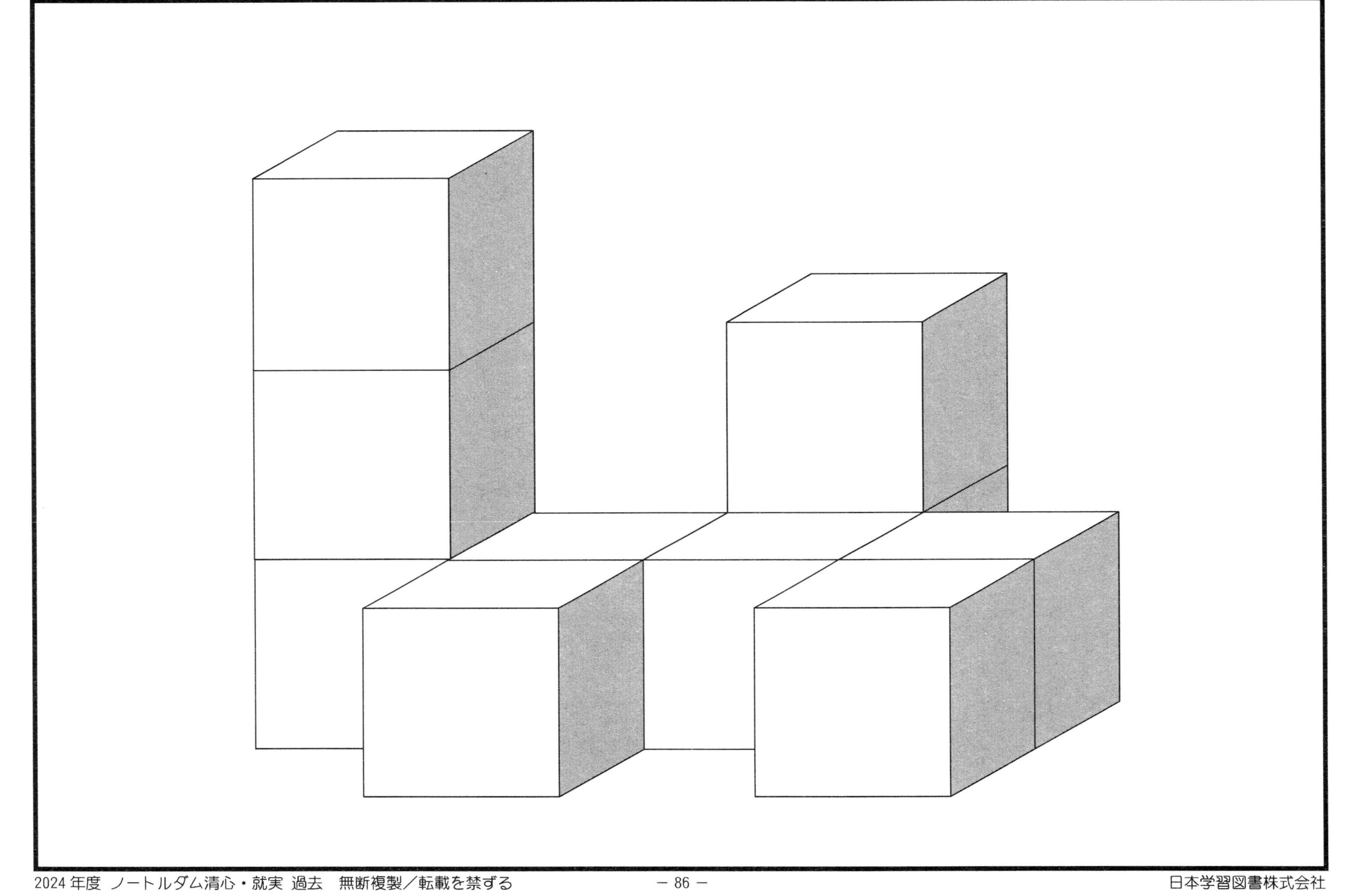

日本学習図書株式会社

図書カード 1000 円分プレゼント

ご記入日　　年　月　日

☆国・私立小学校受験アンケート☆

※可能な範囲でご記入下さい。選択肢は○で囲んで下さい。

〈小学校名〉＿＿＿＿＿＿＿＿＿＿　〈お子さまの性別〉男・女　〈誕生月〉＿＿月

〈その他の受験校〉（複数回答可）＿＿＿＿＿＿＿＿＿＿

〈受験日〉①：＿＿月＿＿日〈時間〉＿＿時＿＿分〜＿＿時＿＿分

②：＿＿月＿＿日〈時間〉＿＿時＿＿分〜＿＿時＿＿分

〈受験者数〉男女計＿＿名（男子＿＿名　女子＿＿名）

〈お子さまの服装〉＿＿＿＿＿＿＿＿＿＿

〈入試全体の流れ〉（記入例）準備体操→行動観察→ペーパーテスト

＿＿＿＿＿＿＿＿＿＿

Eメールによる情報提供

日本学習図書では、Eメールでも入試情報を募集しております。

下記のアドレスに、アンケートの内容をご入力の上、メールをお送り下さい。

ojuken@nichigaku.jp

●行動観察　（例）好きなおもちゃで遊ぶ・グループで協力するゲームなど

〈実施日〉＿＿月＿＿日〈時間〉＿＿時＿＿分〜＿＿時＿＿分〈着替え〉□有　□無

〈出題方法〉□肉声　□録音　□その他（　　　　）〈お手本〉□有　□無

〈試験形態〉□個別　□集団（　　人程度）

〈会場図〉

〈内容〉

□自由遊び

＿＿＿＿＿＿＿＿＿＿

□グループ活動

＿＿＿＿＿＿＿＿＿＿

□その他

＿＿＿＿＿＿＿＿＿＿

●運動テスト（有・無）　（例）跳び箱・チームでの競争など

〈実施日〉＿＿月＿＿日〈時間〉＿＿時＿＿分〜＿＿時＿＿分〈着替え〉□有　□無

〈出題方法〉□肉声　□録音　□その他（　　　　）〈お手本〉□有　□無

〈試験形態〉□個別　□集団（　　人程度）

〈会場図〉

〈内容〉

□サーキット運動

□走り　□跳び箱　□平均台　□ゴム跳び

□マット運動　□ボール運動　□なわ跳び

□クマ歩き

□グループ活動＿＿＿＿＿＿＿＿＿＿

□その他＿＿＿＿＿＿＿＿＿＿

●知能テスト・口頭試問

〈実施日〉＿＿月＿＿日〈時間〉＿＿時＿＿分 〜 ＿＿時＿＿分〈お手本〉□有 □無

〈出題方法〉 □肉声 □録音 □その他（　　　　　）〈問題数〉＿＿枚＿＿問

分野	方法	内容	詳細・イラスト
（例） お話の記憶	☑筆記 □口頭	動物たちが待ち合わせをする話	（あらすじ） 動物たちが待ち合わせをした。最初にウサギさんが来た。次にイヌくんが、その次にネコさんが来た。最後にタヌキくんが来た。 （問題・イラスト） ３番目に来た動物は誰か
お話の記憶	□筆記 □口頭		（あらすじ） （問題・イラスト）
図形	□筆記 □口頭		
言語	□筆記 □口頭		
常識	□筆記 □口頭		
数量	□筆記 □口頭		
推理	□筆記 □口頭		
その他	□筆記 □口頭		

●制作　（例）ぬり絵・お絵かき・工作遊びなど

〈実施日〉＿月＿日　〈時間〉＿時＿分　～　時＿分

〈出題方法〉　□肉声　□録音　□その他（　　　　）〈お手本〉□有　□無

〈試験形態〉　□個別　□集団（　　　人程度）

材料・道具	制作内容
□ハサミ □のり（□つぼ　□液体　□スティック） □セロハンテープ □鉛筆　□クレヨン（　色） □クーピーペン（　色） □サインペン（　色）□ □画用紙（□ A4　□ B4　□ A3 □その他：　　　　） □折り紙　□新聞紙　□粘土 □その他（　　　　）	□切る　□貼る　□塗る　□ちぎる　□結ぶ　□描く　□その他（　　　　） タイトル：＿＿＿＿＿＿＿＿

●面接

〈実施日〉＿月＿日　〈時間〉＿時＿分　～　時＿分　〈面接担当者〉＿＿名

〈試験形態〉□志願者のみ（　）名　□保護者のみ　□親子同時　□親子別々

〈質問内容〉

※試験会場の様子をご記入下さい。

例
校長先生　教頭先生
父　子　母
出入口

□志望動機　□お子さまの様子

□家庭の教育方針

□志望校についての知識・理解

□その他（　　　　　　）

（詳　細）

・

・

・

・

●保護者作文・アンケートの提出（有・無）

〈提出日〉　□面接直前　□出願時　□志願者考査中　□その他（　　　　　）

〈下書き〉　□有　□無

〈アンケート内容〉

（記入例）当校を志望した理由はなんですか（150 字）

●説明会（□有　□無）〈開催日〉＿＿月＿＿日〈時間〉＿＿時＿＿分～＿＿時＿＿分
〈上履き〉□要　□不要〈願書配布〉□有　□無〈校舎見学〉□有　□無

〈ご感想〉

●参加された学校行事（複数回答可）

公開授業〈開催日〉＿＿月＿＿日〈時間〉＿＿時＿＿分～＿＿時＿＿分

運動会など〈開催日〉＿＿月＿＿日〈時間〉＿＿時＿＿分～＿＿時＿＿分

学習発表会・音楽会など〈開催日〉＿＿月＿＿日〈時間〉＿＿時＿＿分～＿＿時＿＿分

〈ご感想〉

※是非参加したほうがよいと感じた行事について

●受験を終えてのご感想、今後受験される方へのアドバイス

※対策学習（重点的に学習しておいた方がよい分野）、当日準備しておいたほうがよい物など

＊＊＊＊＊＊＊＊＊＊＊＊　ご記入ありがとうございました　＊＊＊＊＊＊＊＊＊＊＊＊

必要事項をご記入の上、ポストにご投函ください。

なお、本アンケートの送付期限は入試終了後３ヶ月とさせていただきます。また、入試に関する情報の記入量が当社の基準に満たない場合、謝礼の送付ができないことがございます。あらかじめご了承ください。

ご住所：〒＿＿＿＿＿＿＿＿

お名前：＿＿＿＿＿＿＿＿　メール：＿＿＿＿＿＿＿＿

ＴＥＬ：＿＿＿＿＿＿＿＿　ＦＡＸ：＿＿＿＿＿＿＿＿

アンケートのご記入ありがとうございました

ご記入頂いた個人に関する情報は、当社にて厳重に管理致します。弊社の個人情報取り扱いに関する詳細は、www.nichigaku.jp/policy.php の「個人情報の取り扱い」をご覧下さい。

分野別 小学入試練習帳 ジュニアウォッチャー

1．点・線図形	小学校入試で出題頻度の高い『点・線図形』の模写を、難易度の低いものから段階別に幅広く練習することができるように構成。
2．座標	図形の位置模写という作業を、難易度の低いものから段階別に練習できるように構成。
3．パズル	様々なパズルの問題を難易度の低いものから段階別に練習できるように構成。
4．同図形探し	小学校入試で出題頻度の高い、同図形選びの問題を繰り返し練習できるように構成。
5．回転・展開	図形などを回転、または展開したとき、形がどのように変化するかを学習し、理解を深められるように構成。
6．系列	数、図形などの様々な系列問題を、難易度の低いものから段階別に練習できるように構成。
7．迷路	迷路の問題を繰り返し練習できるように構成。
8．対称	対称に関する問題を４つのテーマに分類し、各テーマごとに問題を段階別に練習できるように構成。
9．合成	図形の合成に関する問題を、難易度の低いものから段階別に練習できるように構成。
10．四方からの観察	もの（立体）を様々な角度から見て、どのように見えるかを推理する問題を段階別に整理し、１つの形式で複数の問題を練習できるように構成。
11．いろいろな仲間	ものや動物、植物の共通点を見つけ、分類していく問題を中心に構成。
12．日常生活	日常生活における様々な問題を６つのテーマに分類し、各テーマごとに一つの問題形式で複数の問題を練習できるように構成。
13．時間の流れ	『時間』に着目し、様々なものごとは、時間が経過するとどのように変化するのかということを学習し、理解できるように構成。
14．数える	様々なものを『数える』ことから、数の多少の判定やかけ算、わり算の基礎までを練習できるように構成。
15．比較	比較に関する問題を５つのテーマ（数、高さ、長さ、量、重さ）に分類し、各テーマごとに問題を段階別に練習できるように構成。
16．積み木	数える対象を積み木に限定した問題集。
17．言葉の音遊び	言葉の音に関する問題を５つのテーマに分類し、各テーマごとに問題を段階別に練習できるように構成。
18．いろいろな言葉	表現力をより豊かにするいろいろな言葉として、擬態語や擬声語、同音異義語、反意語、数詞を取り上げた問題集。
19．お話の記憶	お話を聴いてその内容を記憶、理解し、設問に答える形式の問題集。
20．見る記憶・聴く記憶	「見て憶える」「聴いて憶える」という『記憶』分野に特化した問題集。
21．お話作り	いくつかの絵を元にしてお話を作る練習をして、想像力を養うことができるように構成。
22．想像画	描かれてある形や景色に好きな絵を描くことにより、想像力を養うことができるように構成。
23．切る・貼る・塗る	小学校入試で出題頻度の高い、はさみやのりなどを用いた巧緻性の問題を繰り返し練習できるように構成。
24・絵画	小学校入試で出題頻度の高い、お絵かきやぬり絵などクレヨンやクーピーペンを用いた巧緻性の問題を繰り返し練習できるように構成。
25．生活巧緻性	小学校入試で出題頻度の高い日常生活の様々な場面における巧緻性の問題集。
26．文字・数字	ひらがなの清音、濁音、拗音、拗長音、促音と１～20までの数字に焦点を絞り、練習できるように構成。
27．理科	小学校入試で出題頻度が高くなりつつある理科の問題を集めた問題集。
28．運動	出題頻度の高い運動問題を種目別に分けて構成。
29．行動観察	項目ごとに問題提起をし、「このような時はどうか、あるいはどう対処するのか」の観点から問いかける形式の問題集。
30．生活習慣	学校から家庭に提起された問題と思って、一問一問絵を見ながら話し合い、考える形式の問題集。
31．推理思考	数、量、言語、常識（含理科、一般）など、諸々のジャンルから問題を構成し、近年の小学校入試問題傾向に沿って構成。
32．ブラックボックス	箱や筒の中を通ると、どのようなお約束でどのように変化するかを推理・思考する問題集。
33．シーソー	重さの違うものをシーソーに乗せた時どちらに傾くのか、またどうすればシーソーは釣り合うのかを思考する基礎的な問題集。
34．季節	様々な行事や植物などを季節別に分類できるように知識をつける問題集。
35．重ね図形	小学校入試で頻繁に出題されている「図形を重ね合わせてできる形」についての問題を集めました。
36．同数発見	様々な物を数え「同じ数」を発見し、数の多少の判断や数の認識の基礎を学べるように構成した問題集。
37．選んで数える	数の学習の基本となる、いろいろなものの数を正しく数える学習を行う問題集。
38．たし算・ひき算１	数字を使わず、たし算とひき算の基礎を身につけるための問題集。
39．たし算・ひき算２	数字を使わず、たし算とひき算の基礎を身につけるための問題集。
40．数を分ける	数を等しく分ける問題です。等しく分けたときに余りが出るものもあります。
41．数の構成	ある数がどのような数で構成されているか学んでいきます。
42．一対多の対応	一対一の対応から、一対多の対応まで、かけ算の考え方の基礎学習を行います。
43．数のやりとり	あげたり、もらったり、数の変化をしっかりと学びます。
44．見えない数	指定された条件から数を導き出します。
45．図形分割	図形の分割に関する問題集。パズルや合成の分野にも通じる様々な問題を集めました。
46．回転図形	「回転図形」に関する問題集。やさしい問題から始め、いくつかの代表的なパターンから、段階を踏んで学習できるよう編集されています。
47．座標の移動	「マス目の指示通りに移動する問題」と「指示された数だけ移動する問題」を収録。
48．鏡図形	鏡で左右反転させた時の見え方を考えます。平面図形から立体図形、文字、絵まで。
49．しりとり	すべての学習の基礎となる「言葉」を学ぶこと、特に「語彙」を増やすことに重点をおき、さまざまなタイプの「しりとり」問題を集めました。
50．観覧車	観覧車やメリーゴーラウンドなどを舞台にした「回転系列」の問題集。「推理思考」分野の問題ですが、要素として「図形」や「数量」も含みます。
51．運筆①	鉛筆の持ち方を学び、点線なぞり、お手本を見ながらの模写で、線を引く練習をします。
52．運筆②	運筆①からさらに発展し、「欠所補完」や「迷路」などを楽しみながら、より複雑な鉛筆運びを習得することを目指します。
53．四方からの観察 積み木編	積み木を使用した「四方からの観察」に関する問題を練習できるように構成。
54．図形の構成	見本の図形がどのような部分によって形づくられているかを考えます。
55．理科②	理科的知識に関する問題を集中して練習する「常識」分野の問題集。
56．マナーとルール	道路や駅、公共の場でのマナー、安全や衛生に関する常識を学べるように構成。
57．置き換え	さまざまな具体的・抽象的事象を記号で表す「置き換え」の問題を扱います。
58．比較②	長さ・高さ・体積・数などを数学的な知識を使わず、論理的に推測する「比較」の問題を練習できるように構成。
59．欠所補完	線と線のつながり、欠けた絵に当てはまるものなどを求める「欠所補完」に取り組める問題集です。
60．言葉の音（おん）	しりとり、決まった順番の音をつなげるなど、「言葉の音」に関する問題に取り組める練習問題集です。

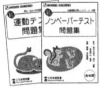

ノートルダム清心女子大学附属小学校　専用注文書

年　　月　　日

合格のための問題集ベスト・セレクション

＊入試頻出分野ベスト３

1st 図形　集中力　思考力　観察力

2nd 数量　集中力　聞く力

3rd 言語　聞く力　思考力　知識

当校の問題は、あらゆる分野から幅広く出題されます。見本と同じ絵を探す問題や欠所補完の問題のような集中力と観察力が必要となる問題が多いので、得意分野にしておきましょう。

分野	書　名	価格(税込)	注文	分野	書　名	価格(税込)	注文
図形	Ｊｒ・ウォッチャー１「点・線図形」	1,650 円	冊	巧緻性	Ｊｒ・ウォッチャー 51「運筆①」	1,650 円	冊
図形	Ｊｒ・ウォッチャー４「同図形探し」	1,650 円	冊	巧緻性	Ｊｒ・ウォッチャー 52「運筆②」	1,650 円	冊
図形	Ｊｒ・ウォッチャー９「合成」	1,650 円	冊	図形	Ｊｒ・ウォッチャー 53「四方からの観察　積み木編」	1,650 円	冊
常識	Ｊｒ・ウォッチャー 11「いろいろな仲間」	1,650 円	冊	図形	Ｊｒ・ウォッチャー 54「図形の構成」	1,650 円	冊
数量	Ｊｒ・ウォッチャー 14「数える」	1,650 円	冊	常識	Ｊｒ・ウォッチャー 55「理科②」	1,650 円	冊
数量	Ｊｒ・ウォッチャー 15「比較」	1,650 円	冊	数量	Ｊｒ・ウォッチャー 58「比較②」	1,650 円	冊
記憶	Ｊｒ・ウォッチャー 19「お話の記憶」	1,650 円	冊	推理	Ｊｒ・ウォッチャー 59「欠所補完」	1,650 円	冊
記憶	Ｊｒ・ウォッチャー 20「見る記憶・聴く記憶」	1,650 円	冊		お話の記憶 初級編	2,860 円	冊
常識	Ｊｒ・ウォッチャー 27「理科」	1,650 円	冊		お話の記憶 中級編・上級編	2,200 円	各　冊
運動	Ｊｒ・ウォッチャー 28「運動」	1,650 円	冊		１話５分の読み聞かせお話集①②	1,980 円	各　冊
観察	Ｊｒ・ウォッチャー 29「行動観察」	1,650 円	冊		新 小学校受験の入試面接Ｑ＆Ａ	2,860 円	冊
常識	Ｊｒ・ウォッチャー 34「季節」	1,650 円	冊		保護者のための入試面接最強マニュアル	2,200 円	冊
図形	Ｊｒ・ウォッチャー 35「重ね図形」	1,650 円	冊		小学校受験で知っておくべき 125 のこと	2,860 円	冊
図形	Ｊｒ・ウォッチャー 45「図形分割」	1,650 円	冊		新 運動テスト問題集	2,420 円	冊

合計	冊	円

(フリガナ) 氏　名	電　話 ＦＡＸ E-mail
住 所　〒　　　－	以前にご注文されたことはございますか。 有 ・ 無

★お近くの書店、または記載の電話・FAX・ホームページにてご注文をお受けしております。
電話：03-5261-8951　FAX：03-5261-8953　代金は書籍合計金額＋送料がかかります。
※なお、落丁・乱丁以外の理由による商品の返品・交換には応じかねます。
★ご記入頂いた個人に関する情報は、当社にて厳重に管理致します。なお、ご購入の商品発送の他に、当社発行の書籍案内、書籍に関する調査に使用させて頂く場合がございますので、予めご了承ください。

日本学習図書株式会社
http://www.nichigaku.jp

就実小学校　専用注文書

年　　月　　日

合格のための問題集ベスト・セレクション

＊入試頻出分野ベスト３

1st 数量　集中力　聞く力　観察力

2nd 言語　聞く力　思考力　知識

3rd 常識　知識　聞く力　観察力

当校の問題は、あらゆる分野から幅広く出題されます。見本と同じ絵を探す問題や欠所補完の問題のような集中力と観察力が必要となる問題が多いので、得意分野にしておきましょう。

分野	書名	価格(税込)	注文	分野	書名	価格(税込)	注文
図形	Ｊｒ・ウォッチャー１「点・線図形」	1,650円	冊	図形	Ｊｒ・ウォッチャー46「回転図形」	1,650円	冊
常識	Ｊｒ・ウォッチャー12「日常生活」	1,650円	冊	言語	Ｊｒ・ウォッチャー49「しりとり」	1,650円	冊
数量	Ｊｒ・ウォッチャー14「数える」	1,650円	冊	推理	Ｊｒ・ウォッチャー50「観覧車」	1,650円	冊
数量	Ｊｒ・ウォッチャー15「比較」	1,650円	冊	巧緻性	Ｊｒ・ウォッチャー51「運筆①」	1,650円	冊
言語	Ｊｒ・ウォッチャー17「言葉の音遊び」	1,650円	冊	図形	Ｊｒ・ウォッチャー53「四方からの観察　積み木編」	1,650円	冊
記憶	Ｊｒ・ウォッチャー19「お話の記憶」	1,650円	冊	常識	Ｊｒ・ウォッチャー55「理科②」	1,650円	冊
巧緻性	Ｊｒ・ウォッチャー22「想像画」	1,650円	冊	常識	Ｊｒ・ウォッチャー56「マナーとルール」	1,650円	冊
巧緻性	Ｊｒ・ウォッチャー23「切る・塗る・貼る」	1,650円	冊	言語	Ｊｒ・ウォッチャー60「言葉の音（おん）」	1,650円	冊
巧緻性	Ｊｒ・ウォッチャー24「絵画」	1,650円	冊		新 運動テスト問題集	2,420円	冊
常識	Ｊｒ・ウォッチャー27「理科」	1,650円	冊		1話5分の読み聞かせお話集①②	1,980円	各　冊
推理	Ｊｒ・ウォッチャー31「推理思考」	1,650円	冊		お話の記憶 初級編	2,860円	冊
常識	Ｊｒ・ウォッチャー34「季節」	1,650円	冊		お話の記憶 中級編・上級編	2,200円	各　冊
数量	Ｊｒ・ウォッチャー40「数を分ける」	1,650円	冊		保護者のための入試面接最強マニュアル	2,200円	冊
数量	Ｊｒ・ウォッチャー42「一対多の対応」	1,650円	冊		新 小学校受験の入試面接Ｑ＆Ａ	2,860円	冊

合計	冊	円

（フリガナ） 氏　名	電　話 ＦＡＸ E-mail
住 所　〒　　　－	以前にご注文されたことはございますか。 有　・　無

★お近くの書店、または記載の電話・FAX・ホームページにてご注文をお受けしております。
　電話：03-5261-8951　FAX：03-5261-8953　代金は書籍合計金額＋送料がかかります。
　※なお、落丁・乱丁以外の理由による商品の返品・交換には応じかねます。
★ご記入頂いた個人に関する情報は、当社にて厳重に管理致します。なお、ご購入の商品発送の他に、当社発行の書籍案内、書籍に関する調査に使用させて頂く場合がございますので、予めご了承ください。

日本学習図書株式会社
http://www.nichigaku.jp

家庭学習をトータルサポート！ ニチガクのオリジナル 効果的 学習法

1 まずはアドバイスページを読む！

ピンク色です

対策や試験ポイントがぎっしりつまった「家庭学習ガイド」。分野アイコンで、試験の傾向をおさえよう！

2 問題をすべて読み、出題傾向を把握する

3 「学習のポイント」で学校側の観点や問題の解説を熟読

4 はじめて過去問題にチャレンジ！

5 プラスα 対策問題集や類題で力を付ける

過去問のこだわり

最新問題は問題ページ、イラストページ、解答・解説ページが独立しており、お子さまにすぐに取り掛かっていただける作りになっています。
ニチガクの学校別問題集ならではの、学習法を含めたアドバイスを利用して効率のよい家庭学習を進めてください。

各問題のジャンル

問題8 分野：図形（構成・重ね図形）

〈準備〉 鉛筆、消しゴム

〈問題〉 ①この形は、左の三角形を何枚使ってできていますか。その数だけ右の四角に○を書いてください。
②左の絵の一番下になっている形に○をつけてください。
③左には、透明な板に書かれた３枚の絵があります。この絵をそのまま３枚重ねると、どうなりますか。右から選んで○をつけてください。
④左には、透明な板に書かれた３枚の絵があります。この絵をそのまま３枚重ねると、どうなりますか。右から選んで○をつけてください。

〈時間〉 各20秒

〈解答〉 ①○４つ ②中央 ③右端 ④右端

学習のポイント

空間認識力を総合的に観ることができる問題構成といえるでしょう。これらの３問を見て、どの問題もすんなりと解くことができたでしょうか。当校の入試は、基本問題は確実に解き、難問をどれだけ正解するかで合格が近づいてきます。その観点からいうなら、この問題は全問正解したい問題に入ります。この問題も、お子さま自身に答え合わせをさせることをおすすめいたします。自分で実際に確認することでどのようになっているのか把握することが可能で、理解度が上がります。実際に操作したとき、どうなっているのか。何処がポイントになるのかなど、質問をすると、答えることが確認作業になるため、知識の習得につながります。形や条件を変え、色々な問題にチャレンジしてみましょう。

【おすすめ問題集】
Jr.ウォッチャー45「図形分割」

学習のポイント

各問題の解説や学校の観点、指導のポイントなどを教えます。
今日から保護者の方が家庭学習の先生に！

おすすめ対策問題集

分野ごとに対策問題集をご紹介。苦手分野の克服に最適です！
＊専用注文書付き。

2024年度版 ノートルダム清心女子大学附属小学校 就実小学校 過去問題集

発行日 2023年10月26日
発行所 〒162-0821 東京都新宿区津久戸町 3-11-9F
日本学習図書株式会社
電 話 03-5261-8951 ㈹

ISBN978-4-7761-5530-0
C6037 ¥2500E
定価2,750円
(本体2,500円＋税10%)

9784776155300

1926037025009